なごやえむ

nagoya.M の

最強 ♥
なごやグルメ

♡

ぴあ

はじめに

インスタグラムを始めたきっかけは

食べることが好き♥
せっかくだから記録に残しとこっかなー😌

そんなありがちな理由でした

ふんわりとやっていたので
どうしてフォロワーが増えたのか
どのあたりから手応えがあったのか
全く覚えてないし、全くわからないんです笑笑

それでも、フォロワー1万人を達成したときは
すごく嬉しかったのを今でもハッキリ覚えてます🎉🎉🎉

フォロワーが増えるにつれて
飲食店からレセプションのお声がけをいただいたり
テレビや雑誌に出させていただきました！

私は本当にフォロワーさんや
まわりの方々に恵まれていて
そんな環境がnagoya.mを
ここまで引っぱってきてくれたと思ってます😊

はじめは自己満足で投稿していたものが
だんだんと使命感が出てきて
今ではインスタを見てくれるみなさんに
「こんなお店あるよ！」って早く知らせたい！
「楽しんで見てほしい！」という
アツい想いを持ってやってます😘

そしてこのたびインスタグラマーnagoya.mとして
この本を出させていただくことになりました
今でもまあまあ信じられません

幸運なことに私のフォロワーさんは
すごく応援してくれる温かい方ばかり
みなさんがいてくれることが
私を無敵にさせてくれています ★ﾍ★

今回の出版もたくさんの方が楽しみにしてくださってて
めちゃくちゃプレッシャーです笑笑

だからこそ、めちゃ頑張りました！
とことんこだわり抜いて、妥協してません！

nagoya.mの美味しい！
がギュッと詰まったこの本を
大好きなフォロワーさんにはもちろん
私のことを知らない
インスタを知らない方にも手にしてもらって
「名古屋ってこんなお店あるんだ！」って
名古屋のことも私nagoya.mのことも
知ってもらえるきっかけになれたら幸いです

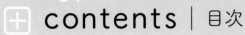

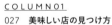

COLUMN02
064 映えの極意

COLUMN03
094 nagoya.mの1日に密着！！

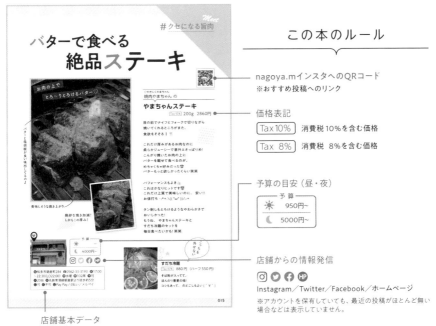

nagoya.mの ルールだよ

その1

この世で私が愛してやまない
美味しい食べ物はたくさんある！😻
でも、そんな私の好みと
みんなの好みが同じだとは限らない🙈
もっと美味しいものを知ってたら、教えてね！

その2

私が大好きな推しメニューしか紹介してません！
だから、この本を見てお店に行ったのなら
絶対に、絶対、絶対に
この本で紹介している
私の推しメニューを食べなきゃダメだよ😋

その3

私が大好きなものしか紹介してません✨
だから、
「あれ？ この店の、あのメニュー紹介してないの？」
とか、思わないでね
それもいいけど、私はコレが好きなんです💕

この本のルール

nagoya.mインスタへのQRコード
※おすすめ投稿へのリンク

価格表記

Tax 10%	消費税 10％を含む価格
Tax 8%	消費税　8％を含む価格

予算の目安（昼・夜）

予算
☀ 950円〜
🌙 5000円〜

店舗からの情報発信

Instagram／Twitter／Facebook／ホームページ
※アカウントを保有していても、最近の投稿がほとんど無い
場合などは表示していません。

店舗基本データ

- 住 住所
- 休 定休日
- P 駐車場
- C カード
- ☎ 電話番号
- 席 席数
- 交 交通アクセス
- E 電子マネー
- 営 営業時間（LO／ラストオーダー）
- 予 予約
- Q QRコード決済

★紹介している料理・写真は著者がお店を訪れた当時に提供されたものです。季節により提供されるメニューの変更や、レシピが変更する場合もあります。
★本誌に掲載されている情報は2021年7月に取材したものです。取材後に改訂・変更になる場合もありますので、おでかけの際は事前にご確認ください。
★料金・営業時間・定休日などのデータはすべて基本的なものであり、時期や新型コロナウイルス感染症（COVID-19）の影響等によっては変更になる場合があります。

安萬のタレは唯一無二のおいしさ！
※写真は3人前

絶妙な厚さと味付けが
タンのおいしさ
増し増し！

◎まんグループ やきにく あんまん
萬グループ 焼肉 安萬 の

生タン

[Tax 8%] 1160円
[Tax 10%] 1180円

オススメはなんといっても生タン👅
味付けがしっかりしててご飯がすすむ🍚🍚

厚すぎず薄すぎず、
絶妙な厚さがちょうどいいし、
とにかく味付けが最高!
テイクアウトの場合は、
袋に塩ダレを入れてもみもみして焼くとお店の味✨

ロースもおいしくって、 もう最高!😉

中にネギ味噌を包んで巻いた手毬タンも絶品で、
お店の名物としてファンも多いよ。
あと特選花咲タンのクオリティが素晴らしくて綺麗✨
まさにシェフの技って感じ😍💖

テイクアウト用のオードブルは、
丁寧にカットされて並んだお肉が素晴らしい✨
予算や人数を伝えたらやってくれるし、
お肉の種類も言えば色々やってくれるよ😋👍

自分の好みを伝えれば
できる限り要望に応えてくれる優しい店長😊

予算
☀ 1000円~
☾ 4000円~

[住]安城市三河安城町1-4-5 ☎0566-91-1882 [営]11:00~14:00、17:00~22:00 ※土日は16:00~22:00 [休]火曜 [席]20席 [予]可 [P]16台(共用) [交]JR東海道本線三河安城駅より徒歩約7分 [C]可 [E]不可 [Q]不可

ご飯と相性ぴったりの
激ウマ生タン

テイクアウト用のオードブルは映える!
(写真は約１万円)

こっちも外せない

ローストビーフ

[Tax 10%] 3850円

バターがしっかり利いた
ソースが絶品😋✨
数量限定だから、
予約して食べて!
→ P118 コラム/最後の晩餐

特選花咲タン

[Tax 8%] 2130円
[Tax 10%] 2170円

肉厚がものすご~い••

手毬タン

[Tax 8%] 540円
[Tax 10%] 550円

キレイに包んであって映える!

◎もね

百寧 の

お任せコース

Tax 10% 1万2000円

おすすめの肉料理店は？って聞かれたら
必ずこのお店を紹介する😊✨

ここのオーナーに任せておけば、
肉の選び方から切り方、出し方まで完璧!!
カウンターに座れば、
目の前でお肉をカットするのが見られる‥
名古屋には少ない貴重な焼肉屋さん♪
ある日、シャトーブリアンがでてきた時は
素晴らしくて悶絶しちゃった!!

そんなオーナーが選ぶお任せコースは、
その日の上質なお肉がいろいろ出てくる
贅沢で豪華なコース😻✨
事前に希望を伝えておけば、
予算や好みに合ったコースで出してくれるよ👍
誕生日や記念日など特別な日だと
お花やケーキも用意してくれるので、
テンションもどんどんアップ↑！↑！
雰囲気も抜群で、安定した美味しさだから、
絶対チェックしといたほうがいい!

カウンターメインでテーブル１つと
そんなに席数も多くはないので要予約だよ♪

どんな時も美味しいお肉!

いつも大満足!

焼く前から、
絶対美味しいって
わかる!

カウンターでは目の前で
お肉をカット

生ハムメロンが
これまたウマい!

予 算
☀ 2000円～
🌙 8000円～

🏠名古屋市千種区仲田2-8-6 ☎052-734-4129
🕐11:30～14:00、16:00～23:00 休火曜(祝日の場合は
翌日) 席12席 予可 🅿なし 🚇地下鉄東山線今池駅③出
口より徒歩約5分 ⓒ可 🅿Pay Pay ⓝPay Pay

肉質もカッティングも抜群の安定感！

オーナーの肉選びは美味しさ間違いなし

美しい焼き加減

US 生タンのタン塩

国産黒タンの生タン先

国産黒タンの中落ちタン

US 生タンのタン元

国産黒タンの生タン元

国産黒タンの生タン中

タンの食べ比べが 楽しくて推し！！

いろんな食感や味が楽しめるよ！
どのタンも美味しそう

◎にくてい たんまみれ
肉亭 たんまみれ の
おまかせ牛タン盛り合わせ

[Tax 10%] 4378円〜

タンの種類がこんなに豊富!
薬味との組み合わせも楽しめる

なにこのタンの種類の多さ・・・
というくらいタンの種類がメチャクチャ豊富!
牛タン好きにはたまらないお店で、
私も初めて行った時はすごーく感激した♥

いろんなタンを一度に食べたい時は、
おまかせ牛タン盛り合わせを注文するといいよ!
国産牛のタンから米国牛のタンまであって、
それぞれに部位もいろいろ揃ってる!
タンづくしでテンション爆上がりです↑↑

盛り合わせを頼んだら
是非食べ比べをしてほしいー😱🙏
国産の黒タンは美しく旨味たっぷりで
とってもジューシー!
米国産も国産に全然負けてなくて美味しい!
臭みもないし、見た目も綺麗✨で、
国産って出されてもわからないほど!

他にも普通の焼肉屋さんじゃ食べれない
タンの部位とかも食べられるよ😋✨
一番安いUSタン先なら418円〜でコスパも👍

薬味に塩ごま油があると嬉しさアップだから
店長、よろしくお願いします😉

店内はけっこうキレイだから
安心してね笑笑

こっちも外せない

ニンニクハラミ
[Tax 10%] 1298円
たっぷりのニンニクが
たまんない✨✨

予算
☀ 1000円〜
☾ 4000円〜

[住]名古屋市中区平和1-15-32 ☎090-8157-8929
[営]11:30〜※売り切れ次第終了、17:00〜22:00 ※土日祝は17:00〜22:00 [休]不定休 [席]7席 [予]ディナーのみ可 [P]なし [交]地下鉄名城線東別院駅より徒歩約2分
[C]不可 [E]不可 [Q]不可

#激ウマ肉

超スペシャルな肉祭り♡

料理長におまかせ〜♪これで満足しないわけがない！

希少部位からタンまで絶品！

超スペシャルな肉ばっかり！

まさに肉づくし！どれも超おいしー♪

目の前で焼き上がるお肉♪

鮮度抜群のレバーは切り口が立ってる！

◎しちりんやきにく たのしいら
七輪焼肉 楽しいら の

料理長厳選お任せコース
Tax 10% 7150円

ここのオススメは料理長厳選お任せコース。
その日のおすすめのお肉がでてくるから間違いない！

ここは内臓が最高においしいお店だと聞いてたから
行く前からわくわくしてたけど、 ほんとにうまーっ！

この値段でシャトーブリアンがついて、
タンも絶品💕✨そして上質なヒレ😍👍
薄いミノもホルモンもハラミも激うまー!!
希少部位もあって、 超スペシャルなメニュー！

そして一番衝撃的だったのが、 炙りユッケ！
まじでおいしかった！これは絶対たのんでほしい１品だよ👍✨
料理の味付けやお肉のカットまで全てぬかりない！
幸せの焼肉タイムだった(´ ▽ `)また来たい！

こっちも外せない！

山わさびのご飯
Tax 10% 610円

バターと山わさびのご飯
こんなにお肉と合うなんてビックリ！
激ウマだから絶対注文してね💕

─ 予算 ─
☀ 2000円〜
🌙 5000円〜

♡ 📷 🐦 f HP

📍西尾市米津町野寺道20-1 ☎0563-54-4129 🕐11:30
〜14:30(LO14:00)、17:00〜23:00(LO22:30)※休日
16:00〜23:00(LO22:30)、土日祝はランチ有り ❌無休
🪑12席 予可 🅿72台 🚃名鉄西尾線米津駅より徒歩約7
分 🅲可 💳Pay Pay／iD／nanaco他 ❌不可

＃クセになる旨肉

バターで食べる
絶品ステーキ

お肉の上で
とろ〜りとろけるバター♡

バターと塩胡椒が良い味出してるのよ

美味しそうな焼き上がり

絶妙な焼き加減！
しかもこの厚み！

◎やきにくやまちゃん
焼肉やまちゃん の

やまちゃんステーキ

Tax 10% 200g 2860円

目の前でナイフとフォークで切りながら
焼いてくれるところがまた、
食欲をそそる！🍴

これだけ厚みがあるお肉なのに
やわらかジューシーで意外とさっぱりめ!
こんがり焼いたお肉の上に
バターを載せて食べるのが、
めちゃくちゃ好みだった🤤
バターもっと欲しかったくらい笑笑

パフォーマンスもよき👍
これはかなりヒットです🤤
これだけ上質で美味しいのに、 安い!!
お値打ち ·:*+.\((°ω°))/.:+

タン刺しもとろけるようなやわらかさで
おいしかった!
もうね、 やまちゃんステーキと
すだち冷麺のセットを
毎日食べたいかも! 笑笑

こっちも外せない

☆ ★
すだち冷麺

Tax 10% 880円 （ハーフ 550円）

そば粉が入ってて、
ほんのり蕎麦の味!
コシもあって、 のどごしもよい(´∀`)

予算
☀ —
🌙 4000円〜

📷 🐦 ⓕ ℍℙ

🏠知多市朝倉町284 ☎0562-33-3193 🕐17:00
〜22:30(LO22:00) 🈂水曜 🈳102席 予可
🅿20台 🚉名鉄常滑線朝倉駅より徒歩約5分
🅲可 🅴不可 💴Pay Pay／d払い／メルペイ

**上質なお肉がこれだけあって
このお値段はアンビリーバボー**

◎じゅくせいやきにく マルニク
熟成焼肉 マルニク の

シャトーブリアン

Tax 10% 4800円

店の方がお肉を焼いてくれて、
目の前でカットしてくれる、
私の大好きなパフォーマンス付き✨✨😎
その間にお肉についていろいろ聞けるのがうれしい😆👍

ここのシャトーブリアン、
この2つの量で1人前(￣▽￣)🖤
え、嘘でしょ!! そしてもっと、え?なのが値段!!
ブリアンちゃんがこの量で、この値段なんて!!🎉
ここのブリアンちゃんはすごく好み🖤
口に入れた瞬間はさっぱりなんだけど
後から旨味ちゃんが、どどっときて最高😎

同じ部位のお肉を食べても、
その時によって味も感じも違うことに気づいた。
日によってちがうお肉ってゆーのも
最近、楽しめるようになりました👍

毎日美味しいお肉を仕入れているので、
いつ行っても美味しさは◎

最高級のシャトーブリアン
にマジ興奮!

キラッキラな
シャトーブリアン

パフォーマンスもお肉も
ぐぐっときちゃう!

こっちも外せない

ミスジ（薄切り）
Tax 10% 2200円

宮崎のへべすを使った
おろしポン酢が超絶おいしい🖤
独特の酸味がクセになりそう!

― 予 算 ―
☀ 1500円〜
🌙 5000円〜

🏠 名古屋市名東区藤森2-286 ステイタスビル1F ☎052-799-6660 🕐11:30〜14:00(LO13:30、ドリンクLO13:30)、17:00〜23:00(LO22:00、ドリンクLO22:30) 🈺火曜(祝日の場合は翌日) 🪑12席 🚗可 🅿なし(コインパーキング代200円サービス) 🚃地下鉄東山線本郷駅①出口より徒歩約8分 💳可 🅔Pay Pay／nanaco／WAON他 📱Pay Pay／LINE Pay／d払い他

希少部位肉キタ〜〜！

いろいろな薬味と合わせると無限の味が広がるよ！

どれから食べようか

ホント目移りしちゃう

三角バラ
ハラミ
クラシ
クラシ
イチボ
ザブトン
ミスジ
ヒレ

３人くらいで行くと「華」を頼むよ

お肉を引き立たせてくれる、
すごーい薬味たち
ほぼ無料でたのめる

◎びんちょうたんやきにく たけちよ
備長炭焼肉 竹千代 の

希少部位盛り合わせ

| Tax 10% | (華)150g | 3500円 |
| Tax 10% | (蝶)280g | 7000円 |

いつも注文するのが、希少部位盛り合わせ
ザブトン、イチボ、ミスジなど
珍しいものばかり。
「赤身多めで」ってたのんだよ😊😊

それとここでは色んな薬味があって、
ほとんど無料なの！
大根おろし、ポン酢、黄身、青とうがらし、
岩塩とどれもお肉と相性が良い👍
青とうがらしは
お肉にはどーやって使うのかな？と思ったけど
スープやクッパに入れて飲むとウマー笑笑

朝５時までやってるってことでも、
人気がある焼肉屋さんだよ😊👍

こっちも外せない

上塩タン

Tax 10% 2000円

ちょうどいい薄さのタン
味付けが絶妙で
おいしい😋👍✨

季節のかき氷

Tax 10% 1500円（時価）

氷が本格的すぎる！
季節のフルーツが楽しめるよ✨

― 予算 ―
☀ ―
🌙 7000円〜

🏠名古屋市東区葵1-1-20 まんてんビル1F ☎052-937-2929 🕐月〜土曜18:00〜翌5:00 ※日祝は18:00〜24:00(LO23:00) 休無休 席60席 予可 Pなし 🚇地下鉄東山線新栄町駅①出口より徒歩約2分 🚗可 💳Pay Pay／iD／QUICPay 🚫不可

Meet
#スペシャルタン

もと？ なか？ あなたはどっち派？

同じタンだけど、部位によって
美味しさがちがうんだよ

見ただけでも絶対美味しいってわかる

この味半端ない！
激ウマ上位クラスのタン

分厚いたんもとは、やわらか〜

胡麻の風味がバッチリのたんなか

◎きそらく
木曽楽 の

たんもと ｜Tax 10%｜ 1850円
たんなか ｜Tax 10%｜ 1320円

豚ロース ｜Tax 10%｜ 720 円

とろけるようなやわらか豚さん🤎
甘めの味付けがクセになりそー✨

こっちも
外せない

ここねーー、まじでタンがバカ美味だった💕
今まで食べた生タンの中でも
それはそれは上位ランクのレベル✨
もちろん一度も冷凍かけてない生タン😍
肉本来の味がしてスペシャル👏

「たんもと」と「たんなか」両方食べたけど、
もうどっちも選べないほど、美味しい🖤
味付けもしっかりめで、白米が欲しくなった🍚

赤身もうまーー!!
らんぷとイチボを食べたけど、
お肉の旨味がしっかり感じられる（≧∇≦）💕
脂は少なめで深みのある味で、
赤身も大好きになっちゃった👍

予 算
☀ ―
🌙 5000円〜

📷 🐦 f HP

🏠一宮市北方町中島東郷56-2 ☎0586-86-2911
🕐17:00〜22:00(LO21:30※最終入店21:15) ※土日祝
は17:00〜21:00(LO20:40) 🚫火曜、水曜、他不定休
🪑32席 予不可 🅿10台 🚃名鉄名古屋本線木曽川堤駅より
徒歩約10分 ©不可 🅔不可 🅝不可

私が初めて出合った生タン しかも飛騨牛だよ！

歯ごたえしっかり、味も文句なし！

さすが飛騨牛！

◎ひだぎゅうたべどころ ぎゅうまさ
飛騨牛食べ処 牛政 の

牛政の生タン

Tax 10% 1人前 1870円

私が初めて食べた生のタンがここ！！
見て、見て！このベロ! 笑
まさに、まんま舌!って感じのタン♥
ここのタンは一度も冷凍しない
とれたての新鮮な生のタン✨✨
も一最高です!!!!
これが美味しくて、
お替わりしまくった笑笑

柔らかくてトロける系よりも、
しっかり歯ごたえのあるタンが好き♥
そんな私好みのタンでーす

飛騨牛の生タンは
名古屋ではなかなか食べれない
わざわざ高山まで行く価値あり!

超新鮮な生のタン

味も色もピッカピカ！

予算
☀ 2000円〜
🌙 2000円〜

Ⓞ Ⓣ Ⓕ ⒽⓅ

住高山市桐生町4-377-1　☎0577-34-9052
営11:30〜14:00、17:30〜22:00(LO21:00)
休月曜　席35席　予要予約　P12台
交JR高山本線高山駅より車で約5分
Ⓒ不可　Ⓔ不可　Ⓠ不可

こっちも外せない

飛騨牛特選牛
ヒレサイコロステーキ
Tax 10% 150g 6380円〜

しっかり厚みがあって、
それでいて柔らかい✨
文句なし!!

ぷっくり&ふわっとタンに 激うま塩ダレが合う!

革命的な塩タン!

※写真は2人前

 絶妙な厚みでタン食感を残しつつ、ふわっとしてるの♪

焼肉食べ歩き仲間も絶賛!

◎やきにくホルモンもろぼし
焼肉ホルモン諸星 の

塩タン

Tax10% 1人前 1738円

タンがめっっっっちゃくちゃ美味しい😍
これは私的トップレベルのタン👍

濃いめの塩だれが最高✨
焼いてもぷっくり&ふわっとしてて
そのふわっと感が口の中まで持続!
でもでも、 タンの食感はちゃんとある💕
ちょうどいい厚みが決め手なのかも

まず真っ先にタンを食べて、
最後にも〆タンしたくなる美味しさ!

イチボのサシ加減も食感も✨
ヒレロースって何だ?って思ったら
店独自の名前で、 これも美味しかった!

カウンターで気軽に一人焼肉も悪くない
連チャンで行こうかなって
思えるくらい(￣▽￣) ♥

お肉が完売したら閉店なので
予約して行くのがいいよ👍

予算
☀ ―
🌙 5000円~

Instagram Twitter Facebook HP

🏠名古屋市中区栄1-25-33ヤマヂビル1F ☎052-222-1515
🕐17:00~24:00(LO23:00) 🈺月曜、第4週火曜 💺26席
🚭可 🅿なし 🚃地下鉄鶴舞線大須観音駅④出口より徒歩約2分、または東山線伏見駅⑥出口より徒歩約3分 💳可 🆔不可 💰楽天ペイ

シメの楽しみ！

◎エーごやきにく アンド てうちれいめん じろう ヤナギバシ
A5 焼肉 & 手打ち冷麺 二郎 YANAGIBASHI の

鉄板チャーハン

Tax 10% 1320円〜

「お肉屋さんでお肉がオイシイ」
そこにプラスアルファがあると
何度もリピしたくなる😊

ここの鉄板チャーハンは唯一無二!
名物焼きビビンバ、二郎キムチ焼きめし、
サーロイン焼きめし、
ペペロンチャーハンの 4 種類
その中でお気に入りはペペロンチャーハン✨

目の前で仕上げてくれるのもよき💕
パフォーマンスを見ながら待つ時間って幸せ✨

シメは店の看板にもなってる冷麺もオススメ
私はどっちも食べる👆

スタイリッシュなお店で、
ランチのコスパも◎

予 算
☀ 1500円〜
🌙 6000円〜

Ⓘ Ⓣ Ⓕ HP

🏠名古屋市中村区名駅4-14-10 柳橋 Food Market3F ☎052-446-8929 🕚11:00〜15:00(LO14:00)、17:00〜24:00(LO23:00) 🈺不定休 💺58席 予可 Ｐなし 🚃各線名古屋駅⑥出口より徒歩約5分 Ｃ可 Ｅ不可 Ｑ不可

目の前で仕上げる
唯一無二のチャーハン

シンプルなペペロンが
予想を超えてくるおいしさ

週 2 で通った時期もあった笑笑

こっちも外せない

名物二郎冷麺
Tax 10% 880円

カツオだしのスープ、
酢橘とおぼろ昆布で
自家製麺をちゅるるん✨

フルーツ女王こと nagoya.mの No.1かき氷!

別添えのマンゴークリームが
ポイント高し

もうこれ
本気で毎日食べたいレベル♪

◎マルライ
MARURAI の
超絶 生フルーツ氷
Tax10% 1628円

出てきた瞬間、
その大きさと
ガラスの器から透けて見えるフルーツに
テンションアゲアゲが止まらな〜い😍

大きくカットされた
フレッシュなフルーツが
何種類も中に入っていて、
氷を食べれば食べるほど
ゴロンゴロンと現れるの(≧▽≦)
たまらん♥♥♥

氷はというと
ふわふわで超ミルキーで
もうどこを食べても
ミルク🐄ミルク🐄ミルク🐄ー
最後までおいしーー😭🙏✨

一緒に提供される
マンゴークリームをかけて
味変しながら食べるの❣
これまた最高💕

文句なし私のNo.1かき氷🍧
毎年この季節が待ち遠しい😊

こっちも外せない

シェイク
(アポロちっく いちごシェイク、
ヨーグルトブルーベリーシェイク)
Tax10% 各858円

さっぱり飲めちゃう🖤
暑い季節☀には最高だよ✨

枝豆ガーリック炒め
Tax10% 各418円

自分でできそうで、
できない味!
ヒットすぎて、クセになる😆

ガーリック枝豆とセットで、
塩味と甘味の無限ループ

予算
☀ 1000円〜
🌙 1500円〜

🏠刈谷市住吉町5-12 ☎0566-23-0838 🕐11:00〜22:00
(LO21:00)※ランチ11:00〜14:00、カフェ14:00〜22:00、
ディナー17:00〜22:00 休水曜、第3木曜日 席76席 予可
P10台 交JR東海道本線、名鉄三河線刈谷駅より徒歩約10分
C可 ※1会計3000円以上、ランチメニュー不可 💳Pay Pay／
iD／QUICPay他 💴Pay Pay／d払い／ALI Pay他

新感覚のアップルパイ スパイシーで大人♡

スコーン？ クッキー？
パイ生地の食感が新鮮！

この生地がメチャウマ！

スイートなリンゴがゴロッゴロ

◎イン ディス フレーバー
IN THIS FLAVOR の
アメリカンアップルパイ

[Tax 10%] 550円

このアップルパイ、
まず私は、パイ生地じゃないところが
すっごくすっごく好き!!

スコーンのような？
クッキー生地のような？
「ザクッ」＆「ホクッ」とした生地なの。
この食感を、一度は試してみて～♪

主役のリンゴも
たっくさん入っていて大々満足❣
甘さと酸味のバランスが
これまたサイコー👍
ブラックペッパー、シナモン、ナツメグなどなど
スパイスが甘味の中に程よく利いていて
お酒と合わせてもいいかも～👍
繊細な大人のアップルパイ✨
+220 円でアイスクリームトッピングできるよ。

アメリカンテイストの
お店だよ

予算
☀ 1000円～
☾ 2000円～

[住]名古屋市中区栄1-24-27 J&T1F ☎052-228-9603 [営]11:30～16:00(LO15:00)、18:00～23:00(LO22:00) [休]月曜(不定休あり) [席]20席 [予]可 [P]なし [交]地下鉄鶴舞線大須観音駅④出口より徒歩約4分 [C]可 [E]Pay Pay／iD他 [Q]Pay Pay／LINE Pay／d払い他

どこもかしこも丸々したフォルムが尊いっ!

ふんわり膨らんだ生地が安定のおいしさ

ふわふわ軽くて繊細♪
イチオシのオムレット生地

クリームもプルンとラブリー

◎ギャルリ シュ シュアー
galerie chou chou-A の

オムレット

[Tax 10%] 770円

オムレット生地の繊細さに
マジ感動しちゃった!
ふわっふわなだけじゃないのが
ニクイッ💕
このきめ細かさは、なんなの一一😋

カスタードと生クリームの
ダブルクリームなのも、うれしすぎ👍

よくあるオムレットとは違って
モコモコと膨らんだ生地に
ポコポコ丸いクリームが連なってて
見た目も可愛いんだよね😍

お店は広くておしゃれ。カウンター席あり。
本気で何度も行きたい❣
今度はシブーストを狙います★

お店前の中庭にある
グリーンが爽やか

予算
☀ 1000円~
☾ ー

[住]大垣市内原1-181-2 ☎0584-88-3381 [営]10:00～20:00(LO19:00) [休]月曜、第3火曜(祝日の場合は翌日) [席]16席 [予]可 [P]10台 [交]名神高速道路大垣ICより約1分 [C]不可 [E]不可 [Q]不可

旬のフルーツがまるごと
サンドイッチに!

作りたてをカットしているのに、この美しさ

＋100円でドリンクセットに。予約もできちゃう!

◎こーひーかく
珈琲閣 の

フルーツサンド

[Tax 10%] 1300円

超有名な老舗喫茶店の
フルーツサンド。
季節ごとに最高においしいフルーツが
これでもかってサンドされてるっ!
しかもこの断面の美しさは神!

生クリームは甘すぎず、
舌触りが超なめらか〜。
パン&フルーツ&生クリームの
割合も絶妙👍
パンのしっとり感も半端ない👍
これはレベルが高いです👍👍

名物のいちごサンドは
地元・西尾の紅ほっぺ🍓
12月〜4月頃の期間限定だよ!
久しぶりに「おいしい!」って叫んじゃう
フルサンに出合えました😚✨

フルサン天国!

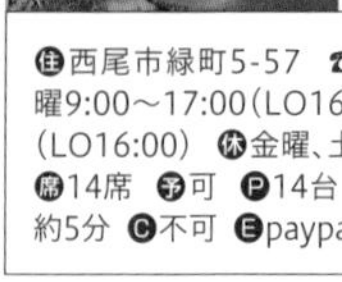

[住]西尾市緑町5-57 ☎0563-56-3062 [営]月〜木曜9:00〜17:00(LO16:00) ※日祝は11:00〜17:00(LO16:00) [休]金曜、土曜、他不定休(SNSにて告知) [席]14席 [予]可 [P]14台 [交]名鉄西尾線桜町駅より徒歩約5分 [C]不可 [E]paypay [Q]Pay Pay

予算
☀ 1000円〜
☾ ー

めっっちゃ雰囲気のある
古き良き喫茶店!

nagoya.m

「美味しい店の見つけ方」

「どうやって、新しいお店を見つけるの?」
これは私が聞かれること第1位!

いつも美味しい
センサーを起動!

m　まずは、いつも「どこかに、美味しい店ないかな?」って
　　探す気満々のアンテナを張っておくこと

　　私は移動中に新しい店とか、気になる看板が目に入ったら
　　引き返してでも、その店をチェックしに戻る!

　　そうすると、だんだん店の外観を見ただけで
　　「ここは美味しそう!」ってピンとくるようになる!笑笑

m　私はまわりの人に恵まれてて
　　みんなが美味しいお店に連れて行ってくれたり
　　教えてくれたりするんです♥

使える手段や
方法は全部使う!

　　他にも、インスタで探したり
　　食べログを使うこともあります
　　インスタで探す場合は「美味しそう!」と思っても
　　1つの写真だけで判断せずに
　　他にアップされてる写真やコメントはないか探して
　　いろんな人の情報を見るようにしています
　　そうしたら、だいたいのことが分かるよ😌
　　たまに外すこともあるけどね笑笑

思い立ったら、
すぐ行動!

m　何より一番大切なのは
　　新しい情報が入ったら、すぐに確かめに行くこと!

　　誰かに美味しい店を教えてもらったら
　　すぐに行くようにしてます!
　　で、本当に美味しいのか、自分の目と舌で確かめる!
　　これって、できそうで、なかなかできないんだよね

　　でもこれが
　　美味しいお店を見つけるための原点だと思う😊

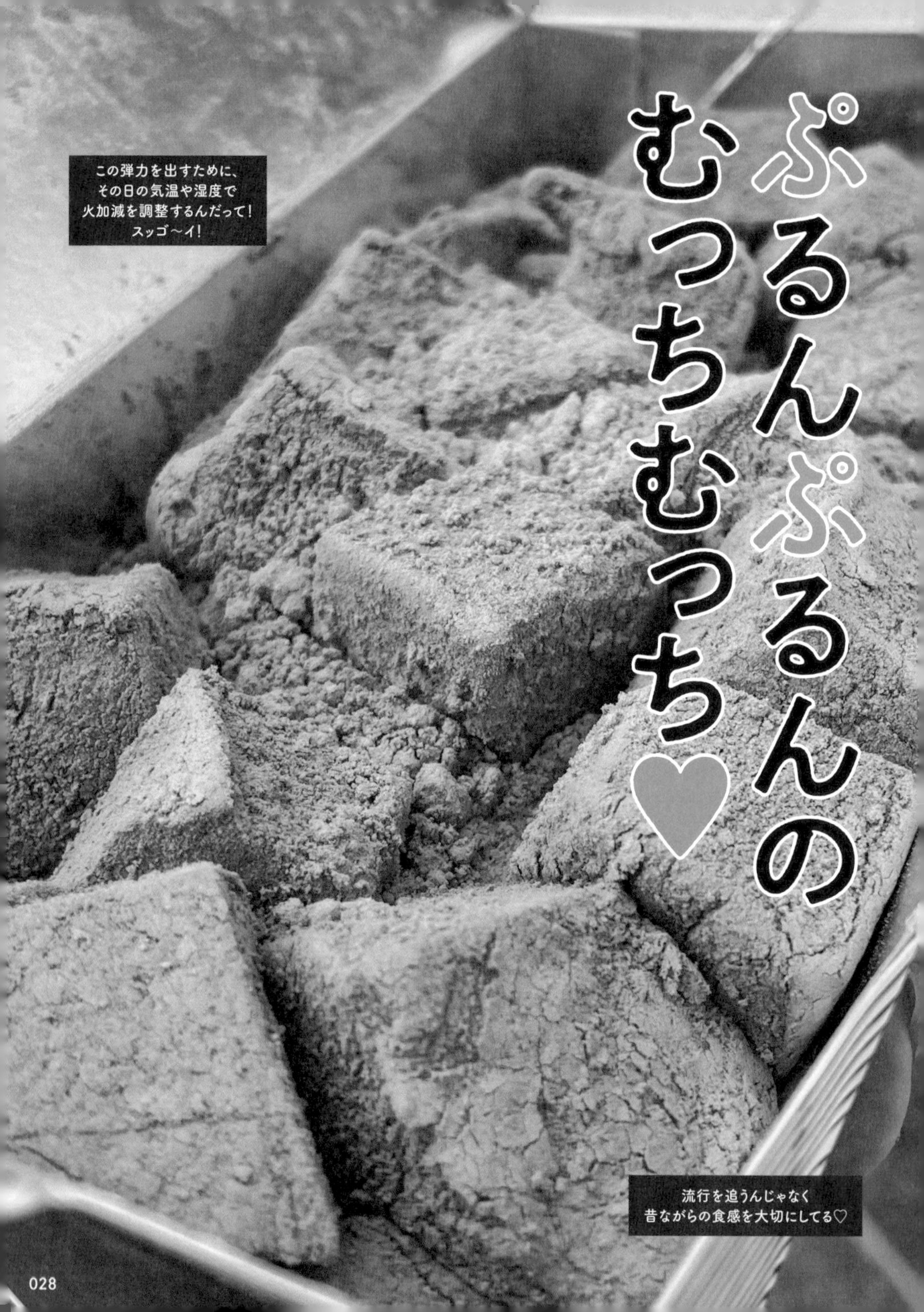

ぷるんぷるんの
むっちむっち♡

流行を追うんじゃなく
昔ながらの食感を大切にしてる♡

◎あけや
明やの

わらび餅

Tax 8% 300g　500円

ほどよく弾力のあるわらび餅が好きだから、
もーここのはドンピシャです✨
食べ進めるうちに、
うん、おいしい❣
うんうん、おいしい🙏🍭🙏
……ってなってくる味🖤

1000円の箱なんてずっしり重くて
コスパ的にも大満足。

食べきれるかなって思ったけど
楽勝で食べきれたよ😋

もうひとつの不思議は
次の日もきなこがウエットにならないこと••
丹波産大豆のきなこで、
かなりきめが細かくて
深めに炒ってあるのがヒミツみたい🌾
とにかく、いつまでもサラッサラで
香りがいいの。
ちょっと感動ものだよ✨✨

お店でカットしてるところを
ぜひ見てほしい!神業です👏

注文を受けてからカット
いつも出来立ての弾力★

注文を受けると
ご主人の職人技が
始まるよ

店頭でわらび餅を切る音を
聞くだけで
ワクワクしちゃう

こっちも外せない

アイスわらび餅
Tax 8% 300g 600円

おうちでカットして
氷水に入れて、冷やして黒蜜と
きなこつけて食べる
ひんやりぷるんぷるん。
たまらンス🖤

予 算
☀ 1000円〜
🌙 —

🏠一宮市小信中島東鶺平10　☎0586-62-5141
🕘9:00〜17:00　🈺木曜、第3水曜　🪑14席　🅿3台　🚗東
海北陸自動車道一宮西ICより約14分　💳不可　🅴不可
Ⓠ不可

ほどよい弾力と控えめな甘さ！

１個じゃ終われない！

この手のわらび餅では私的に１位
なかのこし餡が、さすが老舗！

＃プルップル和スイーツ

◎まいすずめ
舞雀 の
わらび餅

Tax 8% 270円

中川区にある、知る人ぞ知る
老舗の和菓子屋さん。
本当は教えたくないくらい、
お気に入り🐦

なかにあんこが入ったタイプの
わらび餅では１番好き👍😎

何が好きって、
この手のわらび餅は
柔らかめなものが多いんだけど、
ここのは、もっちり系で
ほどよい弾力❣

なめらかな自家製こし餡は、
ザラメで炊き上げた逸品。
半世紀以上の歴史を誇る
老舗ならではの上品なおいしさ👑

きな粉がまた、きめ細かく口どけ最高で
風味がすごい！！

全体的にすっきりとした甘さなので
何個でもいけちゃう!
ほんとにペロリだよ😋

プルップル
わらび餅と
なめらかこし餡の
出合い♥

こっちも外せない

草餅
Tax 8% 150円
〈 販売期間 〉1月下旬〜5月3日
よもぎ感がスゴイ‥
粒あん多めなのに、
よもぎの香りで
軽く食べれちゃう!

柏餅
Tax 8% 150円
〈 販売期間 〉3月中旬〜5月下旬
半生タイプの米粉で、
半端ないもっちり感😋
なめらかなこし餡とのバランスが絶品👑

予 算
☀ 150円〜
🌙 150円〜

🏠名古屋市中川区中郷3-385-2 ☎052-351-6277
🕐8:30〜19:00 休火曜 P5台 🚉地下鉄東山線高
畑駅⑤出口より徒歩約14分 C可 E Pay Pay／iD／
nanaco他 ✉Pay Pay／LINE Pay／d払い他

こっちも外せない

へそくり餅
Tax 8% 210円

初代店主が考案した看板商品✨
絹の衣のような
羽二重餅のなかに
黄金色の金柑の甘露煮。
爽やかさとほろ苦さが美味👍

おはぎ
Tax 8% 250円

希少な丹波春日大納言の
おはぎは、甘さ控えめ。
何個でもいけそう😊

◎おわりがし きたがわ
尾張菓子 きた川 の

いちご羽二重

Tax 8% 486円〜
※品種によって価格が異なります
〈販売期間〉10月〜7月

羽二重餅と
上品なサラッとしたこし餡に
いちご🍓がそっと包まれてる‥

フワフワでムチムチの
厚めの羽二重餅が
とにかくおいしくて、
食べ応え満点❣
なんだけど、決していちごを
邪魔しない👍👍
羽二重餅といちごが融合して
「うわっうまっ💕」ってなるくらい
私のなかで
リピリピのヒット商品😍✨😍✨

いちごは、食べ比べをして
そのとき一番おいしいものを厳選🍓
こし餡も毎年小豆を試し炊きして
納得いくものだけを使用してる。
だから絶妙なバランス❣

金柑の甘露煮を羽二重餅でくるんだ
「へそくり餅」は前から知ってたけど、
いちご羽二重のおいしさには
マジでぶっ飛んだよ😍🍓🍓

```
─ 予 算 ─
☀ 500円〜
🌙  ─
```

📷 🐦 📘 Ⓗ Ⓟ

🏠名古屋市北区大杉3-14-7 ☎052-911-3710 🕐9:00
〜16:00 ※日祝は9:00〜15:00 🈺月曜、火曜 🅿なし
🚃名鉄瀬戸線尼ケ坂駅より徒歩約3分 💳可 🄴Pay Pay
／iD／QUICPay他 📱Pay Pay／LINE Pay／d払い他

おいしさに ぶっ飛んだ

一口食べたとたんに、
羽二重餅の食感に感動

むっちり羽二重餅が
神です!

口のなかですっと消える、
甘さ控えめのこし餡
中身で勝負の"尾張菓子"

もっちもちでほんのり甘い♡
和の空間もすてき!
なごや栄
雀おどり總本店

わらび餅は絶対に弾力派

黒蜜きなこ付きでテイクアウトもできるヨ

◎すずめおどりそうほんてん
雀おどり總本店 の

蕨餅

[Tax 10%] 800円

丸みのあるわらび餅が
氷水で冷やされて出てくるから
冷たくてちゅるんとおいしい
栄に行くと、 ほぼ毎回リピしてる

とにかく弾力がすごいの
「わらび餅はトロトロよりも弾力派」
という方には絶対オススメ
もちもち食感がたまりません

テイクアウトも、 食べる寸前に
氷水で冷やすのが醍醐味
冷え冷えのところを
黒蜜ときなこにつけて食べれば
さらに美味ーー

冷え冷え ちゅるん!

予算
☀ 800円~
☾ –

[住]名古屋市中区栄3-27-15 ☎052-241-1192
[営]10:30～19:00(LO18:00) [休]無休 [席]15席
[予]不可 [P]なし [交]地下鉄名城線矢場町駅⑤出口より徒歩約5分 [C]可 [E]不可 [Q]不可

こっちも外せない

小倉クリーム白玉

[Tax 10%] 900円

プルプルの白玉にバニラアイスと小倉餡、 沖縄黒砂糖の濃厚な黒蜜ときなこをかけて

あんみつヒトツでこんなに感動！！

栗の季節にしか食べられない
究極の栗あん！

白玉はもっちもち！

リピート確定の栗あん

寒天も一つひとつ美味しい

◎わがしかりょう オコボ
和菓子菓寮 ocobo の

白玉栗あんみつ

[Tax 10%] 1200円

和スイーツがおいしい
カウンターのカフェ☕

栗きんとんがのってるあんみつって
初めて食べた!!
白玉は柔らかくて舌触り最高✨
お豆は黒豆と赤えんどう豆の２種類。
赤えんどう豆に塩っけがあるから
全体に甘じょっぱい感じがいい。
寒天は、フツーの寒天のほかに、
和三盆の糖蜜羹と抹茶羹があって、
味と食感の違いが楽しめちゃう👍

そして絶品なのは栗あん🌰🌰🌰
栗きんとんを、もっとしっとりと
クリーミーにした感じで、
私の心、わしづかみっ✊

予算
☀ 1000円～
☾ －

[住]名古屋市千種区観月町 1-8 ツインビービル1F
☎052-752-6789 [営]10:00～17:00（イートインは13:00～（LO16:00））※土日は11:00～18:30（イートインは13:00～（LO17:00）） [休]水曜 ※木曜はテイクアウトのみ [席]8席 [P]なし [交]地下鉄東山線覚王山駅③④出口より徒歩約1分 [C]不可 [E]不可 [Q]不可

こっちも外せない

栗きんとん

[Tax 8%] 330円

宮崎、岐阜、熊本の栗をブレンド。
ここの栗きんとんが一番好き♥

栗が食べたい！って日は ここで決まり

京都発祥のお店の
栗づくしスイーツ

和栗クリームが濃厚だよ（￣▽￣）♡
この日は季節限定「桜の栗粉もち」

栗粉に隠れてるのは
白玉と和栗クリーム

◎わぐりちゃや まつる
和栗茶屋 眞津留 の

栗粉もち

Tax 10% 1760円

京都のモンブラン専門店「紗織」さんが
プロデュースしたお店✨

目の前で仕上げてくれる栗粉もちは、
ふわふわ栗粉とお豆腐からできてる
白玉のコラボ😊
栗粉は贅沢にた〜っぷり、
白玉は茹でたてでもっちり！オイシイ💕
おとうふだから0カロリー！笑笑😛

スイーツはもちろん、
空間もハイクオリティ✨

特別感のあるカウンターで楽しんだり
テーブル席でまったりしたり💕
テイクアウトもあるので
色々な使い方ができるよ👍

ーー 予算 ーー
☀ 1800円〜
🌙 ー

📷 🐦 f HP

📍名古屋市中区大須3-5-1 鈴木ビル1F ☎052-228-
6950 🕚11:00〜18:00(LO17:30)※土日祝は10:00〜
休不定休 席33席 予可 Pなし 交地下鉄名城線矢場町
駅①出口より徒歩約7分 C可 E不可 不可

こっちも外せない

和栗と季節の果物タルト
（ドリンクセット）
Tax 10% 2200円

和栗のペーストは
きしめんみたいな平打ち。
「紗織」さんと味は同じだけど
舌触りが変わって、
感じる味にも変化あり😋✨

Japanese sweets

ワクワク和スイーツ

ワクワク焼いて
ワイワイ食べる!

焼きたてのおだんご
がフワっ&しっとり

好きなトッピングを好きなように

みたらし、おいしい! 黒蜜きなこ、絶品! あんこ、定番!

4種類の味が楽しめる
自分で焼く「焼き団子」

◎リンリンあん
RinRin庵の

華よりだんご

[Tax 10%] 2本 390円

たのしいおいしいワクワク!!
お団子を専用の焼き台で
自分好みに焼いて、
あんこや黒蜜など4種類の味を
好きなようにトッピングできること

しかも、焼きたてのおだんごが、
フワっとしてて、しっとりしてて
おいしい
セルフ焼き最高!

イチオシはやっぱり
はちみつピーナッツバター
私がプロデュースしたM餅を
パクりましたって言ってくれたけど、
M餅超えてる 笑笑

予算
☀ 820円~
☾ ─

こっちも外せない

かき氷
黒ゴマきな粉
[Tax 10%] 1120円

かき氷機から落ちてきた
フワフワがそのまんま‥
冬でも食べられる
まろやかなかき氷

[住]岡崎市宮石町字トウモ23-1 ☎080-9995-3066
[営]8:00～16:00※モーニングは8:00～10:00(LO9:30)、かき氷専門(夏期)は10:00～16:00(LO15:30)、スイーツ(秋冬春)は10:00～16:00(LO15:30) [休]月曜 [席]23席
[予]不可 [P]12台 [交]伊勢湾岸自動車道、第二東海自動車道豊田東JCTより約16分 [C]不可 [E]不可 [Q]Pay Pay

Repeat
nagoya.m の
リピリピ
Repeat

#いちご好き #餅好き

いちご大福ツアー

フルーツ系スイーツのなかでも、いちご大福が大大大好きすぎる私。
鬼リピのお店をドドーンとご紹介するよ 💕
羽二重餅とか求肥とか、お店によっていろんなタイプがあるけど、
どれもそれぞれしっかり主張しているのが私の好み
いちごの季節がいつも楽しみ 😊

ここの羽二重餅はふわふわ💕
契約農家から仕入れる
プレミアムな「極上完熟いちご」
だから、パクッ＆ジュワ〜 🍓
味の濃さ、甘さ、香り、酸味すべての
バランスがパーフェクト ✨

01

いちだ
一朶 の
フルーツ餅（いちご）
〈Tax8%〉 **295円〜**
※イチゴの品種・大きさによって価格は異なります
〈 販売期間 〉11月末〜5月中旬

🅾 🐦 f HP

🏠名古屋市南区豊田1-28-5
☎052-618-8555 🕙10:00〜 ※売り切れ
次第終了 休不定休 Ｐ5台 🚃名鉄常滑線
道徳駅より徒歩約4分

地元のもち米でついた
お餅に自家製こし餡。
「いちご農家マリモ
ファーム」のいちごが
とにかくデカい ‥

02

おんかしつかさ ふじやほんてん
御菓子司 冨士屋本店 の
いちご大福
〈Tax8%〉 **280円** 〈販売期間〉12月〜5月

🅾 🐦 f HP

🏠知多郡阿久比町卯坂城街道4-1
☎0569-48-0076 🕙9:00〜19:00 ※売り切れ次
第終了 休火曜 Ｐ3台
🚃名鉄河和線坂部駅①出口より徒歩約7分

03

※投稿はさくらんぼおほほっ

<ruby>小ざくらや一清 本店<rt>こざくらやかずきよ ほんてん</rt></ruby> の

苺おほほっ

Tax8% 225円 〈 販売期間 〉11月末〜5月頃

🏠 名古屋市中村区草薙町1-89
☎ 052-412-4014 🕘 9:00〜18:00 🈺 日曜、第3月曜
🅿 8台 🚃 地下鉄東山線中村公園駅②出口より徒歩約5分

白餡に包まれたいちごが透けて、
ほんのりピンクで超可愛い💕
いちごは地元の「ゆめのか」🍓 超フレッシュ✨
キンキンに冷やすと、
ぷるんとした羽二重餅がまた絶品っ😻🤍

2022年春には
名古屋市内に新店舗が
OPENするんだって!

軽くて滑らかな白餡。
ここまで口に残らない
餡は初めて✨
皮も私好みで、何個でも
食べられるっ💕

04

<ruby>冨士屋<rt>ふじや</rt></ruby> の

いちご大福

Tax8% 220円 〈 販売期間 〉1月2日〜4月中旬頃

🏠 愛西市四会町堤外1482-1
☎ 0567-28-4657 🕘 8:30〜18:00 🈺 月曜、火曜
不定休 🅿 6台 🚗 東名阪自動車道弥富ICより約
15分

冬はあまおうで、夏は
なつみずきを使用。
夏にもいちご大福が
食べられるって神🙏

05

<ruby>鈴懸 ジェイアール名古屋高島屋店<rt>すずかけ ジェイアールなごやたかしまやてん</rt></ruby> の

苺大福

Tax8% 335円 〈 販売期間 〉11月中旬〜4月中旬

🏠 名古屋市中村区名駅1-1-4 ジェイアール名古屋
タカシマヤB1F
☎ 052-485-4328 🕘 10:00〜20:00 🈺 施設に準
ずる 🅿 提携あり 🚃 各線名古屋駅より徒歩約1分

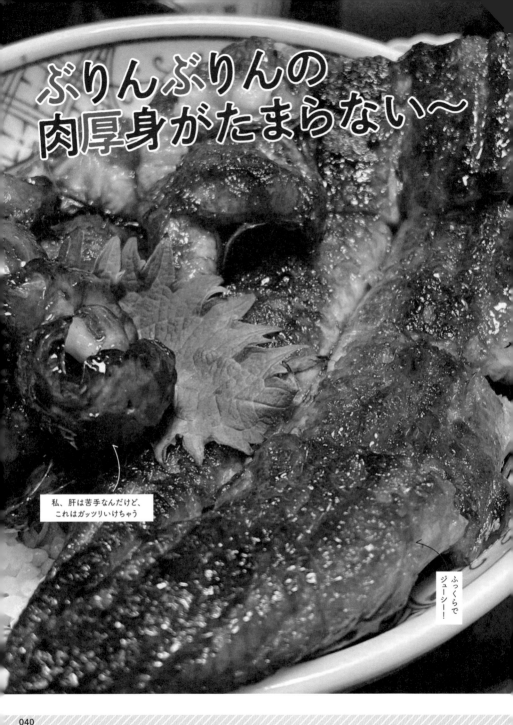

ぶりんぶりんの
肉厚身がたまらない〜

私、肝は苦手なんだけど、
これはガッツリいけちゃう

ふっくらで
ジューシー！

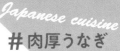

◎うなこう
うな幸 の

きもうな丼

Tax 10% 3080円

今まで食べた中でここのうなぎが1番好き◉
タレはそんなに濃くなくてさっぱりめ。
それがまたいい✒✨
うなぎは臭みがないし、 肉厚でぷりんぷりん✨
皮面は絶妙にパリッパリに焼いてあって
それでもコゲた感じなし!
うなぎも新鮮で良質なものを使っていて、
備長炭での焼き方にもこだわりあり。

きもうな丼にはうなぎと肝がのってて、
私、 肝はそんな得意じゃないけど、
これはぷりぷりで美味しかった〜👍

ひつまぶしも美味しかったけど、
私は断然うな丼をオススメ!!
うな丼でも、 うな重でも
並以上を注文すると茶碗蒸しがついてくる🖤

元々割烹料理店で、
その頃は結構通ってたけど、
うなぎ屋さんに転身してからは初めて!
大将も覚えててくれてうれしい💕

こだわりづくしで、
うなぎの本当の美味しさがわかる

肝もぷりぷり

見て!
この肉厚な身を!

香ばしいにおいが
たまらない!

落ち着いた純和風なお店は
居心地も◎

予 算
☀ 3080円〜
🌙 3080円〜

Ⓘ Ⓣ Ⓕ HP

🏠長久手市前熊溝下80-6 ☎0561-61-1888 🕚11:00
〜14:00、17:00〜20:00(うなぎ完売で閉店あり) 🈺火曜
(祝日の場合は営業) 🪑40席 🈲可 🅿18台 ❶リニモ芸
大通駅①出口より徒歩約16分 🈂可 Ⓔ不可 ◉Pay Pay

#ごはんがおいしい和食

いつもワクワク！
旬がおいしいー

土鍋だから超おいしー！
旬の味がばっちり染みこんでる

素材はいつも変わるから毎回楽しみ！

金目鯛と九条ねぎのごはん♡
炊きたてご飯はふっくら

ハモ入り
とうもろこしごはんも
激ウマだった！

◎うみやまさと おりょうり みなみ
海山里 御料理 みなみ の

季節の炊込みごはん
Tax 10% 約2人前 2200円〜

何を食べてもおいしいお気に入りのお店👍
季節の料理コースもあるけど、
私のイチオシは土鍋炊きごはん🍚
季節の旬の素材を活かして
炊き込みご飯にしてくれるの！

その日によって具材も変わるみたいで、
行くたびにわくわく🖤
とうもろこしの炊き込みご飯を
事前にリクエストしたら✨
ハモが入ってて感激😍✨

どの料理も１つずつ
手の込んだものが出てきて、
これなんだろう？って食べるのが好き😋
アラカルトで好きなものがたのめるのも魅力😍
本当に何食べてもおいしくて、 お値打ち◎

ー 予 算 ー

☀ ー
🌙 8500円〜

こっちも外せない

お造り盛り合わせ
Tax 10% 一人前 1980円〜

一品料理はどれもおいしいけど、
お刺身は新鮮キラキラで
特にオススメ✨✨

※写真は2人前

🏠名古屋市中区栄4-21-1 カトレヤビル1階C号
☎052-684-8396 🕐18:00〜23:00(LO22:00)
休月曜(月1回不定休あり) 席12席 要予約
Pなし 🚃地下鉄東山線・名城線栄駅、名鉄瀬戸線
栄町駅⑬出口より徒歩約8分 🅒可 Ⓔ不可 Ⓝ不可

042

味も大満足！ボリュームもすっごい！

ちょっと変わったネタも楽しみのひとつ

天ぷらは揚げたてに限る

2皿目が出てきて、しかもこのボリューム！

お皿からはみ出すほどの量

◎てんぷら すぎ
天ぷら 杉 の

天ぷら一式（蘭）

Tax 10% 3740円

天ぷら一式のコースには
蘭・松・竹の3種類があって、
一番高い蘭にしたけど、これがすごかった。

まず1皿目は、天ぷらが1つずつ盛られてて
珍しくてかわいいなーって食べてたら
次に2皿目きた(*´ω`*)💕
え！これだけじゃなかったの!!
しかも2皿目のボリュームがやばいっっ笑笑
これでこの値段は安すぎる!!😭

店内にはカウンターとテーブル席があって、
今回はテーブル席だったから
お皿に盛られて出てきた。
カウンターでは目の前で揚げて
揚げたてを1品ずつ出してくれるよ☺

どんなシーンでも楽しめて家族でも使える👍✨

予算

☀ 1265円〜

🌙 1500円〜

📷 🐦 f HP

📍 ⑤刈谷市大正町6-201-1 ☎0566-23-0834
⑧11:30〜14:00、17:30〜21:30 ⑭月曜、火曜
（月2回）⑯34席 ㊡可 Ⓟ20台 ⑳名鉄三河線
刈谷市駅より徒歩約5分 ⓒ可 Ⓔ不可 Ⓝ不可

こっちも外せない

ひらめ刺身 Tax 10% 1050 円〜
刺身盛り合わせ（1人前） Tax 10% 1300 円〜

旬のお魚がびっくりするほど美味しい🐟
平日のお造りは透明感が美しすぎる！

喫茶店で 絶品トンテキ

トンテキの味は他に
塩、味噌があるけどダントツで醤油推し!

がっつり食べたい日はここ!!

鉄板で出てくるのもよき

◎きっさアンドけいしょく クルー
喫茶&軽食 クルー の

とんてき定食（醤油）

[Tax 10%] 1050円

お店の看板には「喫茶 & 軽食」(￣∇￣)
軽食とは? 笑笑
このお店のメインは
ボリューム MAX のトンテキ✨✨

柔らかいお肉、 おイモ、 ニンニクが
鉄板の上にいっぱい!
食欲がススムおいしいタレで
ご飯 2 杯はいけちゃう😆

鉄板にのってるから
最後まで熱々で食べられるよ👍✨

ニンニク抜きもお願いできるけど
ソースにもニンニクが入ってるから、
トンテキのために予定を空けて
がっつり食べるのが正解💪
ここの定食はどれもおいしい😊

別皿のキャベツを
のっけて食べる!

[住]名古屋市中村区権現通4-8-2 ☎052-482-3810
[営]7:00〜15:00、17:00〜22:00（LO21:30）※ランチは月〜金曜11:00〜14:00 [休]火曜 [席]27席 [予]不可
[P]4台 [交]地下鉄東山線中村区役所駅④出口より徒歩約6分 [C]不可 [E]Pay Pay [Q]Pay Pay／au PAY

予算
☀ 1050円〜
☾ 1050円〜

小麦香るピザはフワフワ食感

◎いまいけピザしょくどう ピッグ スープ
今池ピザ食堂 PIG SOUP の

Pizza メタメタ
(ビスマルク&マルゲリータ)

[Tax 10%] 1760円

表面のおこげが香ばしい!

ピザはどれを食べてもおいしいよ!

ふわっと軽い生地に、 あっさりめのソースで
生地そのものも楽しめるピザ🍕

シンプルにオイシイ!
生地が軽くてどれだけでも食べられちゃう😋

普通のピザより水分を多く含んだ生地だから
フワフワでもちっとしてるんだって✨
小麦粉のいい香りがして
耳までオイシイ💕

18 種類もあるから迷っちゃうけど、
ハーフ & ハーフならどのピザを選んでも
同料金でお得✨

他にも素材にこだわった料理や
映えるロングドリンクもあって、 リピ確定👍

予算
☀ 980円~
☾ 4000円~

[住]名古屋市千種区神田町2-1 ☎052-739-5050
[営]11:30~14:30 (LO14:00)、18:00~23:00 (LO22:00)
[休]日曜、月曜 [席]19席 [予]可 [P]提携あり [交]地下鉄東山線今池駅②出口より徒歩約12分 [C]可 (ランチは現金、PayPayのみ可) [E]Pay Pay/iD/nanaco他 [Q]Pay Pay/d払い/au PAY

こっちも外せない

生ハム洋ナシ
[Tax 10%] 1089円

しっとり感半端ない生ハムは
クセがなくって誰でも好きな味👍
トロける脂もいい感じ!
黒板のおすすめメニューにあったら
必ず注文して😋

プリプリ牛もつ。〆はラーメンと雑炊の2回がおすすめ♡

ベースのスープは醤油と塩があって、どっちもおいしい！
辛さは、普通・極・極極の3段階

◎がんそたいわんもつなべ じん じょうしんてん
元祖台湾もつ鍋 仁 浄心店 の

台湾もつ鍋（醤油味）一人前

Tax10% 1730円

あさりトッピング

Tax10% 850円

もつ鍋が恋しくなると
まず行くところ！
それは、仁👏👏👏
夏に食べるのも
もちろんいいんだけど、
寒くなってくると
より一層食べたくなるよね😋

醤油も塩もあさりトッピングが
私の食べ方!👍
お出汁で旨味、増し増しです😋✌

そして、最強なのがシメの台湾ラーメン✨
これを食べたいがための
もつ鍋だと言ってもいいくらい笑笑

仁のもつ鍋は〆のラーメンのためにある

予算
☀ 850円~
🌙 4000円~

こっちも外せない

やみつきキムチやっこ

Tax10% 520円

仁のおつまみ人気ランキングで
トップを争う逸品。名前の通り、
やみつきになること必至😋

住 名古屋市西区城西4-32-4 ☎052-938-7555
営 17:00〜23:00(LO22:30)※土日祝はLO24:00
休 月曜 席 41席 予 可 P なし 交 地下鉄鶴舞線浄心駅
②出口すぐ C 可 E Pay Pay Q Pay Pay

肉汁ブシャーッ!

◎たいわんふうやきしょうろんぽうとぎょうざのおみせ きんのぶた
台湾風焼き小籠包と餃子のお店 金の豚 の

台湾風焼き小籠包(ノーマル)

[Tax 10%] 550円

三河産もち豚の旨味が凝縮

コラーゲンたっぷり!

でき立てのおいしさに完敗
飛び散る肉汁に注意

熱々の肉汁ブシャーの焼き小籠包
三河産もち豚100%の「金の豚まん」
国産野菜100%の「金の野菜まん」
国産黒毛和牛100%の「黒毛和牛まん」
などなど全部で6種類

どれも注文を受けてから
あんを包んでいるので、
焼き目のパリパリ感と
厚めの皮のモチモチ感が絶品

店内はさくっと食べて帰れる雰囲気
小籠包は外のキッチンカーで作ってくれて、
外のテーブルでも食べれるよ。

白いお洋服は気をつけながら
ブシャーしてね

絶対、
甘だれをかけて
食べてね

予算
☀ 550円~
☾ 880円~

[住]岐阜市柳津町本郷4-51 ☎058-387-6726 [営]11:30~20:00(LO)※夏季(6月~9月)は11:30~17:30(LO)
[休]火曜※夏季(6月~9月)は火曜、水曜 [席]18席 [予]不可
[P]なし [交]名鉄竹鼻線柳津駅より徒歩約10分 [C]可
[E]Pay Pay/iD/nanaco他 [Q]Pay Pay/d払い/au PAY

こっちも外せない

台湾かき氷

[Tax 10%] 1600円

ふわふわの本格氷。
かき氷の中にフルーツが
ゴロゴロ~
メロンもオススメ
新作も続々とでてるよ

Asian
#メチャウマ餃子

噛んだ瞬間 三河もち豚の旨味がジュワー

厚皮は水餃子にもできる！

ニンニクが利いたパンチのある餃子！！
苦手な人にはニンニク無しバージョンもあるって

厚皮と薄皮
どっちも食べてほしい！

◎ぎょうざせんもんてんこくりゅう せとてん
餃子専門店黒龍 瀬戸店 の

名物黒龍餃子（厚皮）

[Tax 10%] 1人前 6個入り 500円

私は基本、餃子は薄皮好きなんだけど、
ここのは厚皮が優勝🎉

皮がめちゃくちゃしっとりしてて
肉汁とのバランスが絶妙。
びっくりするおいしさ👏👏👏

パリッパリの食感の薄皮は
おやつ感覚👍
どちらも食べてほしい😋👍

ほとんどが個室で
ゆっくりできるのも◎
自宅近くにあったら
日常的にリピートするお店✨

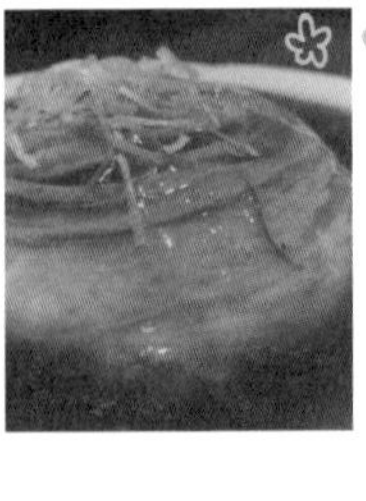

こっちも外せない

フカヒレ天津飯
[Tax 10%] 1450円

ザ！天津飯って感じの王道の味。
卵もしっかりめで
おいしかったぁ😭

予算
☀ 760円～
☾ 1500円～

[住]瀬戸市川北町1-21 ☎0561-82-0461 [営]月～日祝17:00～翌3:00（LO翌2:30）※ランチは土日祝11:30～14:00（LO） [休]不定休 [席]110席 [予]可 [P]20台 [交]名鉄瀬戸線三郷駅東口より徒歩約10分 [C]可 [E]楽天Edy／Pay Pay／iD他 [Q]楽天ペイ／Pay Pay

本場韓国の味

マジでおいしい。止まらない！

サクサクで海鮮たっぷりチヂミ

とにかく私はこのチヂミがまた食べたい！

大好きな韓国料理がまた好きになった♪
軽くていくらでも食べれる

◎チヂミや
チヂミ屋 の

海鮮チヂミ

Tax 10% 1980円

予算
☀ ー
☾ 3000円~

[住]名古屋市中区新栄1-28-4 ワールドビル1F
☎052-269-3933 [営]17:00～翌3:00 [休]月曜
[席]27席 [予]可 [P]なし [交]地下鉄名城線矢場町駅①出口より徒歩約9分 [C]不可 [E]不可 [Q]不可

何を食べてもおいしかったけど、
ナンバーワンは
海鮮チヂミ👏👏👏

具だくさんで
表面はサクサク😍
つなぎが少な目で
海鮮がゴロゴロ入ってるから軽い！
具を食べるチヂミって感じ✌
おやつ感覚でいくらでも食べれちゃう✨

ほかに、骨つきカルビのサムギョプサルも
おいしかったよ👍

韓国のオモニが切り盛りしてて
アットホームなお店です♥

オリジナルがすぎる
定食おにぎり!

リピ確定の
大満足おにぎり
(￣▽￣)b

お味噌汁と合わせて
ガチ定食にしちゃいたい!

050

◎せいせんかんやまひこ おわりあさひてん
生鮮館やまひこ 尾張旭店 の

ほぼ具オニギリ

[Tax 8%] 各種1個／322円

フツーのスーパーに降臨した神おにぎり
全部で 14 種類!
インパクトすごすぎない?
どこから食べても具! 最後も具で終わる
サバなんて、 定食で出てくるサイズでのってる
おにぎり1個で口の中でサバ定食が完成

エビ天は2尾ついてタレもしっかり絡んで、
もうこれは天丼で確定

どこからこの発想がくるのか
発案者・おおたのりこさんの頭の中を
のぞいてみたいよ～

ボリュームだけじゃなくてもちろんオイシイ
塩加減が絶妙でペロリといけちゃう!
大人気のおにぎりは争奪戦だから、
厨房から出てきたら即買っちゃって

おにぎりの発売は毎日じゃないので注意！
おおたのりこさんのインスタで
アナウンスされるからチェックしてみて

おにぎり売場の
眺めが素晴らしい!

サバ、どどーん!

エビ、贅沢に2尾♡

スムージー シャインマス男

[Tax 8%] 1383円

たっぷりとフルーツが入った
濃厚スムージー
メニューのネーミングも面白い! 笑笑
他にも「梨田梨彦」
「イチゴろう」 がいるよ

こっちも外せない

食べるフルーツティー

[Tax 8%] 538円

ボトルにフルーツがぎっしり
限定販売で、 本当は教えたくない
激ウマのアイテム[秘]

HP

[住]尾張旭市狩宿町4-59 ☎0561-56-3120
[営]10:00～20:00 [休]無休(1/1のみ休み) [P]150台 [交]名二環、名古屋亀山線、名古屋第二環状自動車道大森ICより約35分 [C]可 [E]不可 [Q]不可

味も見た目も最強なお肉を転がすの（￣▽￣）♡

映えロース♡

コロコロ転がしながら焼くのが楽しい

◎やきにくぎゅうえん ほんてん
焼肉牛縁 本店 の

俵ロース

Tax 10% 1個 528円

このお店の名物といえば、
俵ロース（o´∀｀o）
1個から個数を選んで
注文できるよ😊✨
いっぱい積んじゃってー👍

でもでも、数量限定だから
確実に食べたいなら予約がいいよ☝

ロースとネギの組み合わせは
映えるだけじゃなくて
もちろんおいしい✨
お肉に巻いてあるあま〜い脂と
ポン酢との相性がバッチリ✨

他にも生ロースや生タン、
限定メニューもあって、
食欲が止まらない🙈

質のいい和牛をいろんな方法で
食べさせてくれるよ

―― 予算 ――
☀ ―
🌙 4000円〜

📷 🐦 f HP

🏠名古屋市北区西志賀町1-107-2 ☎052-325-6743
🕐17:00〜23:00（LO22:30）🈺木曜（12月、祝日、肉の日の場合は営業）🪑24席 予可 Ｐ4台 🚃地下鉄名城線黒川駅より徒歩約15分または地下鉄鶴舞線庄内通駅より徒歩約15分 Ｃ可 Ｅ不可 Ｗ不可

こっちも外せない

和牛上ロース
Tax 10% 968円
卵トッピング（＋55円）はマスト！
ガーリックバタートッピング（＋110円）
につけるのも好き💕

思わず撮りたくなる!
見た目も味も完璧なパフェ

ウェディングケーキを作ってたオーナーだけあって
映えるスイーツのクオリティがハンパない

写真はメロンシャンティ（1500円税込み）
どんどん新メニューが出るから毎回楽しみ♡

◎ビルディング ブロックス カフェ
Building Blocks Café の

季節の限定パフェ

[Tax 10%] 1380円〜

季節ごとの限定パフェは
どれも見た目も味もこだわりぬいた傑作✨✨
いつも新しいものをどんどん取り入れて
キャッチーなものからシンプルなものまで
丁寧に作られるここのスイーツが大好き😍

このメロンシャンティも
見た目が可愛いのはもちろん
ゼリーもプリンもアイスも入ってる
欲張りなスイーツ😭🙏
だけどちゃんと甘さのバランスがとれてる👍

他にもギャラクシーなカップケーキや
くまちゃんのドリンクなど、
映える進化系スイーツがいっぱい😊

お洒落で居心地のいい空間で
思わず長居したくなっちゃう🖤

いつも「可愛い♡」って笑顔になれる

予算
☀ 900円~
☾ –

Instagram Twitter Facebook HP

[住]名古屋市北区大野町4-15-1 ☎052-898-1987
[営]11:30〜18:00(LO17:00)※カフェタイムは14:30〜
[休]水曜(お盆、年末年始は不定休) [席]14席 [予]可 [P]6台 [交]地下鉄名城線志賀本通駅③出口より徒歩約10分 [C]可 [E]不可 [Q]Pay Pay／d払い／au PAY

こっちも外せない

白桃の生ミルフィーユ

[Tax 8%] 780円

パイとクリームと甘い桃!
最強の組み合わせだよ〜🤩
自家製のパイがめちゃくちゃおいしい!!
これがテイクアウトで
食べられるなんて神!

お肉天国に連れてって！

個室や仕切り付きのゆったり
空間で食事できる。

美しささえ感じるタンとヒレ肉！

※写真は4人前

◎ほんかくにくりょうり まるこ
本格肉料理 丸小 の

タンヒレ
しゃぶしゃぶコース

Tax 10% **1万2000円**

珍しいタンとヒレの
贅沢しゃぶしゃぶ

女将さんが食べ
方をレクチャーし
てくれます♪

おいしすぎる丸小のタンしゃぶが
ヒレもついたコースで楽しめる😍

ここのタンは黒タンっていって
黒毛和牛のタンなんだけど、
ほんと入荷が少ない特別なもの。
だから1日3組限定✨
それくらい貴重な黒タンのしゃぶしゃぶ
もうみんなに食べてほしい!!!
絶対に要予約です👌

焼くことが多いヒレだけど、
しゃぶしゃぶすると肉質の良
さをさらに感じる

ヒレの方はというと、
厚めなんだけど、
もちろんしゃぶしゃぶ🖤
大根おろしと黄身とタレとペッパーで
食べるのが、
たまらない😍👍

私はポン酢で食べるのも好き💕
さっぱりしてて
どんだけでも食べれるから笑笑
ちょっとお肉の脂が苦手〜って方も
この食べ方なら
たくさんいけちゃうこと
間違いなし😊👍

小鉢料理にも
明治28年創業の
老舗の技が光る☆

こっちも
外せない

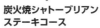

炭火焼シャトーブリアン
ステーキコース

Tax 10% **1万1000円**
※サービス料別10%

肉の旨味としつこくない脂の
ジューシーな旨味の
コンビネーション✨
期間限定なので
お店のインスタをチェック👍

予 算
☀ 2000円〜
🌙 1万円〜

🏠名古屋市中区東桜2-18-24 サンマルコビ
ル1F ☎052-931-4015 🕐11:30〜14:00
（LO13:30)、17:00〜22:00(LO21:30)
😴日曜、祝日 💺62席 予可 🅿なし 🚇地
下鉄東山線新栄町駅①出口より徒歩約3分
🅒可 💳Pay Pay 📱Pay Pay

Special

肉×フルーツご褒美

お肉→フルーツ→お肉→……
夢のエンドレスループ♥

◎ニクノオト

niku no OTO の

niku no OTO プレミアムコース

[Tax 10%] 1万2500円

1人前で合計270グラムのお肉！

これ全部が薬味！
お肉も野菜も飽きずに
食べられる

タンの薬味は、とろろ＋大葉＋
ミョウガたっぷりで♥
お肉は目の前でカットしてくれるよ。
焼き加減は自分好みに☆彡

このコースは、何回食べてもワクワク♥

★季節のフルーツ食べ放題あり
★スペシャルなお野菜あり
★オイルフォンデュあり
★迷っちゃうほど楽しい薬味パラダイスあり
★お肉３種あり
★シャトーブリアンあり

１月に行ったときは、
食べ放題のフルーツが苺🍓🍓🍓
お肉→フルーツ→お肉→フルーツ……
夢のエンドレスループ完成👏👏👏

薬味パラダイスは15種類。
オススメはエシャロットバター😍
野菜にもお肉にもピッタリ。
シメは、はまぐりラーメンと
名物ローストビーフ丼を
シェアするのが◎
３階には完全個室もあるよ。

オイルフォンデュの野菜
たちがカラフル～

季節によって変わる
旬のフルーツが食べ
放題っ！ 神でしょ！

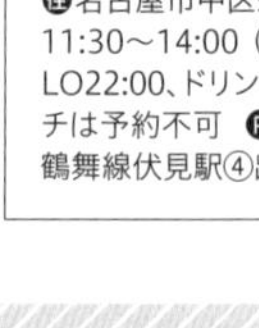

予算
☀ 1000円～
☾ 7000円～

[住]名古屋市中区栄2-2-8 ☎052-228-8015 [営]ランチは平日のみ11:30～14:00（料理LO13:30）、ディナーは17:00～23:00（料理LO22:00、ドリンクLO22:30） [休]不定休 [席]64席 [予]可※平日ランチは予約不可 [P]近隣にコインパーキングあり [交]地下鉄東山線・鶴舞線伏見駅④出口より徒歩約3分 [C]可 [E]Pay Pay [Q]Pay Pay

一期一会のおいしさ

見事なお肉ちゃんたち♥

オーナーの目利きが
さく裂！

オーナーは「よく見るヤツですよね」って言ってたけど、
そのなかでも抜群のおいしさ！ フィレ肉でつくってくれた〜♥

◎マルセ

マルセ の

シェフのおまかせ

Tax10% 8000円〜

オーナーが目利きした最高級品👑だから
「赤身中心で」と、好みだけ伝えました👀✨

特選希少部位4種は、
その日の仕入れによってミスジ、サガリなど💕
メインは、これまた特選和牛の
フィレかサーロイン👍
お肉の旨味がそれぞれ違って
しかも、すべて臭みゼロ、旨味100👍

トリュフと卵黄で食べるお肉なんて
"レベチ"でおいしかった❣
ソファ席もあるけど、オーナーと話せる
カウンターの特等席がおススメ👌
デザートのかき氷は必須🍧

カットの美しさもさすがです！

コースのデザートで出てきた
かき氷
ロイヤルミルクティ味の🫧
ちゃんとロイヤルだし濃厚
だし氷ふわふわだし♥
これだけでカフェやってくだ
さい！！

― 予算 ―

☀ ー

🌙 8000円〜

🏠名古屋市昭和区山里町70-2 山手アベニュー2F
☎052-834-5586 🕐17:30〜23:00 ※土日は17:00
〜23:00 休不定休 席22席 予要予約 P共用駐車
場多数あり 地下鉄名城線八事日赤駅より徒歩約
5分または地下鉄鶴舞線杁中駅より徒歩約10分
C可 E不可 PPay Pay／au PAY

最初から最後まで
お口が幸せ♪

見て見て❣ このエビの美しさ🍤

トロの巻き物にウニが盛り盛り

サバ寿司の炙り方が絶妙
ブルーチーズも入ってて、
コクが UP

吉凰といえば穴子❣

最後のデザートまで
おいしい

特別な日は吉凰で間違いなし！

◎きっこう
吉凰 の
コース料理 ※18時一斉スタート

Tax 10% 2万4200円

予算
☀ —
🌙 2万5000円～

🏠名古屋市中区錦3-17-27 ソシアルビル
M1（中2F）A号室 ☎052-684-6890
🕐18:00～23:00 休日曜、祝日 席8席
要予約 Pなし 地下鉄東山線・名城
線栄駅、名鉄瀬戸線栄町駅①出口より徒
歩約3分 C可 E不可 D不可

カウンター席のみ
お任せコースのみの
大好きなこだわりお寿司屋さん💕
誕生日とか特別な日に🎉
気合いを入れて行く👏

コースの前半に出てくる一品料理が
どれもおいしくて、 お寿司の前から
すでにお口が幸せモード😆❣

ある日のお寿司は🍣
炙りのサバ寿司、 穴子、 ウニ、 エビなどなど
デザートは🍮
女将さん手づくりの上品なフルーツ大福

お料理もお店の雰囲気もザ・セレブリティー✨

甘甘が好きな人は
ハマるよ〜
アフタヌーンティーの王道
生クリームが絶品！

◎マッシモ マリアーニ
Massimo mariani の

マッシモセット（2名分・ドリンク付き）

[Tax 10%] 5300円

このお店に来たら、 やっぱりこれでしょ!
3段プレートに季節のフルーツやケーキが
いろいろ載ったマッシモセット😍✨
ドリンクもいろいろあるから
好きなものを選べてうれしい！

このお店の生クリームがすっごくおいしくて、
それを使ったケーキやテ・オレ・フロアが好き👍👍
これは甘甘がいける人とじゃないと無理かな笑笑

雰囲気も良くていろいろな味も楽しめるし、
友達とまったりおしゃべりするなら
絶対オススメ！！

そして店員さんが全員イケメン!!😬笑

昼下がりのおしゃべりを リッチな気分で

予算
☀ 2000円~
☾ 2000円~

[住]名古屋市千種区今池南13-14 ☎052-733-7825
[営]12:00〜24:00 [休]無休 [席]21席 [予]不可 [P]13台
[交]地下鉄東山線今池駅⑧出口より徒歩約6分 [C]不可
[E]不可 [Q]不可

こっちも外せない

テ・オレ・フロア
[Tax 10%] 950円
ミルクティーに
生クリームがたっぷり!
ホットもアイスも両方イケる😋

うっとりしちゃうほど 華やかアフタヌーンティー

オシャレな重箱スタイルで
見た目もキレイ！

甘い系としょっぱい系が
半々なのが Good！

重箱を広げるとテンションが上がる

カレーかハンバーガーが選べて、
ポテトも付いてくる

◎ビストロ イナシュヴェ
Bistro Inachevé の
アフタヌーンティー

Tax 10% 2750円
※14:00～17:00

― 予算 ―
☀ 2000円～
🌙 3000円～

📷 🐦 f HP

🏠名古屋市中村区名駅4-7-1 ミッドランドスクエア
4F ☎052-414-6450 🕐11:00～22:00 休施設に
準ずる 🪑60席 予可 🚃提携あり 交各線名古屋駅
より徒歩約1分 🅿可 💳楽天Edy／iD／nanaco他
⊘不可

もうなにも説明はいらない！
見たら素晴らしさがわかる！
しかも、これでこの値段は安すぎる‥✨

甘いのが多いアフタヌーンティーは、
途中で飽きるから最後まで進まないんだけど、
これはしょっぱい系も同じくらいあるからいい😍👍
しょっぱい系と甘い系が半々くらいなところが
私のお気に入り！

スコーンについてくるコーヒーバタークリームが
めちゃおいしくて、おかわりしたいほど😋✨
ミニカレーかミニハンバーガーを選べるから、
2人でシェアするのもOK！
ポテトとスープが付いてくるのも最高🍴🙏✨

ワクワク感もあって、お重の見た目も楽しめて、
おいしいアフタヌーンティーで大満足🖤

全ておかわり自由!! おいしい紅茶を存分に

◎ロンネフェルト・ティ・サロン・なごや

ロンネフェルト・ティ・サロン・名古屋 の

アフタヌーンティー

[Tax 10%] 4000円
※13:00〜(2時間制)

有名紅茶のロンネフェルトを
扱うお店なんだけど、
ここのアフタヌーンティーは、
食べ放題飲み放題なのでヤバい!

こだわりのローストビーフやチャーシュー🍖
そして私の大好きな
アイリッシュモルトのプリン🐾💕✨
お花のババロアゼリーもモッチリした食感で
大人味でおいし😭
ナッツにもこだわりがあって高級品ばかり
全部食べたら欲しいものを追加で頼めるよ♪

それとお店にあるロンネフェルトの紅茶は
全種類が飲めちゃう!

食べ放題飲み放題ってなかなかないし、
ゆったり空間でくつろげるのも最高!
優雅で大興奮の時間を過ごせます
(＾ω＾)✨✨
人気だから予約がおすすめだよ🥺
今度は季節ごとに登場する
パフェも食べてみたいな〜

いろんな種類が味わえる
可愛いスタンドに大興奮!

なんと食べ放題、
飲み放題の
アフタヌーンティー

一皿一皿の
クオリティがすごい!

こっちも外せない

レモンティーゼリーソーダ

[Tax 10%] 750円

おいしいティーゼリーが
入ったソーダで
レモンもたくさん�

予 算
☀ 1000円〜
🌙 3000円〜

  Instagram Twitter Facebook HP

🏠名古屋市中区栄1-18-10 ストークビルYMD1F
☎052-228-9446 ⏰10:00〜18:00(LO17:00) 休月曜
席18席 予なし 🚇地下鉄東山線・鶴舞線伏見駅⑦出
口より徒歩約10分 Ⓒ可 Pay Pay／iD／nanaco他
Ⓔpay Pay／LINE Pay／d払い他

ブッラータチーズの賞味期限は48時間

クリーミーなブッラータチーズに
さらに生クリームをプラス

シャインマスカットやマンゴー、いちごなどなど
季節のフルーツと一緒にパクッ!

◎エロいにくとモダンなまるまる ザ ゴハン クラシック パビリオン
エロい肉とモダンな○○
THE GOHAN classic pavilion の

完熟フルーツとブッラータ
チーズのカプレーゼ

Tax 10% 1980円〜

幻のフレッシュチーズと呼ばれる
北海道産ブッラータチーズを使った
フルーツのカプレーゼ。
旬のフルーツに
クリーミーなチーズがピッタリ✨
フルーツによって味付けが変わるから
季節ごとにリピート決定ーー💕

この日私が食べたのは、
「山梨の桃のアールグレイマリネ」🍑
アールグレイ風味が優しくて
生クリームでクリーミー感増し増し💚
きっとみんな大好きなヤツ😋

ここはお肉もおいしーよ✨

クリーミーなチーズとフルーツ
生クリームが決め手

予算
☀ 6000円〜
🌙 6500円〜

📷 🐦 f HP

🏠名古屋市西区那古野1-14-18 那古野ビル北館111
☎052-887-8418 🕐【ランチ】12:00〜14:00(料理
LO13:30、ドリンクLO13:30)【ディナー】17:00〜24:00
(料理LO23:00、ドリンクLO23:30) 🈑無休 🈂44席 🈵
可 🅿なし 🚉各線名古屋駅ユニモール⑭出口より徒歩
約3分 💳可 💴paypay 💴Pay Pay/d払い/au PAY

こっちも外せない

黒毛和牛のステークフリット
Tax 10% 100g 1980 円〜

ガリっと焼き上げた
赤身肉のステーキは、旨味が凝縮!

しあわせ運ぶ
ドルチェビュッフェ♡

ハイレベルのドルチェが
食べ放題!

◎キャナリィ ロウ やごとてん
Cannery Row 八事店 の

ドルチェビュッフェ

チェーン店なんだけど、
やっぱり八事店が最高!
ここのドルチェたちは
なかなかレベルが高くてお気に入り🖤

ランチコース、ディナーコースを
注文すれば付いてくる
生キャラメルとシフォンケーキと生クリーム、
そしてプリンが私の定番!
特に生キャラメルがすごく好きで、
甘くて身震いするほど笑笑
それでも紅茶何杯も飲みながら😋
おかわりして5個も食べた笑笑
あとフロマージュもおいしい💕

料理はその時によってちがうけど、
たまに蟹食べ放題などのイベントもある!
カップルから家族まで誰と行っても楽しめるよ✋

一番お気に入りの生キャラメル♡
これがあればサイコー!

どのドルチェも
レベル高すぎ〜

予算
☀ 2100円〜
🌙 2300円〜

🏠名古屋市昭和区広路町南山89 ☎052-835-9990
🕚11:00〜15:00(LO)、17:00〜22:00(LO21:30) 休無休
(12/31〜1/1のみ) 席58席 予可 P24台 交地下鉄鶴舞
線いりなか駅より徒歩約8分 C可 E不可 N不可

●ドルチェビュッフェが食べられるメニュー例
●ランチ モッツァレラチーズとなすのラグーソース2442円／ズワ
イガニのトマトクリーム2728円
●ディナー 海の幸のパエリア3454円／渡り蟹のパスタ2948円

063

nagoya.m

「 映えの極意 」

「映える写真を撮るコツは？」そう聞かれることが多いので、
特別講座を開いちゃいましょう！

狙うのは
映えじゃない！

m 私は映えさせたいと思うのではなくて

「この美味しさををみんなに伝えたい！
いや、伝えなきゃ！！」

そーゆー思いでいつも撮ってます！
すると結果的に映えたりする 📱✨
私にとっては「美味しそう」が映えです！

m お店に入った時からすでに戦いは始まっている！
テーブルが何種類かあったら
色・材質はどれがいいか考えて席を選ぶし
光のあたり具合とか、明るさも重要なポイント😌

準備がポイント

料理が出てくるまでの間にも
考えることがたくさん！
テーブルのどこに置くと背景がいい感じか
あらかじめ考えて作戦を練っておくと
料理が出てきてすぐに撮影できる！

アツアツの料理や
冷たいアイスとかは
温度も美味しさの一部だから
時間が経つと美味しそうじゃなくなるからね！

譲れないこだわり

m 私には肉を撮る時のこだわりがあります！
それはスマホのレンズを下にして
ローアングルから接近して撮ること！
焼肉の焼き台だって、むちゃくちゃ近づいて撮る！
「スマホが焼けちゃうよ！」って心配されるくらい 笑笑

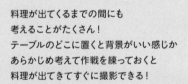
でも、実は
どうやったら映える写真が
撮れるか私の方が教えて
ほしいくらい！

#イニシャルトーク
紹介できなかった美味しいお店

みんなに紹介したいメニューが他にもあるんだけど、
載せられなかったお店を、イニシャルを使ってこっそり教えるね。

02

一宮の焼肉「Y」は
お肉も美味しいけど
ここのイチ推しはタレ！••
ニンニクをバッチバチに利かせた
唯一無二の味で
中毒性アリ✨
ご飯もお酒も進みます😎

01

ヒレステーキが美味しい津島の焼肉「M」は
岩塩プレートにのせてお肉を焼くの✨
お肉がとっても柔らかくジューシーになって
最高！💕

04

普通のカニコロッケって
ホワイトソースを使うけど
中区の洋食「P」の本ずわい蟹コロッケは
蟹と玉ネギだけ✨
蟹本来の味と
玉ネギの甘みととろみが合わさった
独特の味だよ😋💕

03

昔からうなぎと梅干しは食べ
合わせが悪いと言われるけど
中区の和食「H」では
ひつまぶしの薬味に
梅干しが添えてあって
相性もピッタリ！😎👏

05

中村区の「M」の塩海鮮丼は
突き抜けて美味しい！✨
下味の付いたお刺身に
刻んだ塩昆布がまぶしてあって
上にのった漬け卵黄と混ぜて食べると
もう幸せすぎる😭💕

06

麺でオススメなのが
南区にある「I」の釜揚げきしめん✨
女将さんが目の前で
大釜できしめんを茹でてくれる💕
硬さも好みに合わせてくれて大満足！😎

パリパリ系クレープの王者に決定！

cheetah's

これが私のイチオシ
シュガーバター。

たくさんのフレーバーのなかから
選べるのが楽しい

バターたっぷりのクレープ
は国府駅店店限定。

◎チーターズ こうえきてん
チーターズ 国府駅店 の

シュガーバター

[Tax 8%] 400円

ここのクレープが好きすぎて
豊川まで来て
ここに寄らない選択肢はありません

私的 No.1 は、 断然シュガーバター
しかも、 ホイップクリームなしね
一度に 2 つ食べられるから笑笑

シンプルな味を推すのは、
まず生地がおいしいから
私の好きなパリパリ系なんだけど、
ただのパリパリじゃない
薄～～く焼かれた生地の
風味が豊かで
ほんと香ばしいんです

2021 年 5 月からエシレバターを使った
新メニューが登場
フランスのエシレ村でつくられてる
香り高い発酵バター。
上品な塩味とチーターズの生地が合うっ

あとは、 生地にチョコスプレーが入った
チョコ系も外せないんだよね～
チョコソースはいらないけど、
生地に混ぜ込むのはアリ！　大アリ！
それからフルーツ好きとしては、
やっぱりイチゴもチェック

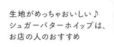

どれ食べてもおいしいけど
シュガーバターが最強★

契約農家さんから直接
仕入れた特別おいしい
イチゴ♡
季節限定です

生地がめっちゃおいしい♪
シュガーバターホイップは、
お店の人のおすすめ

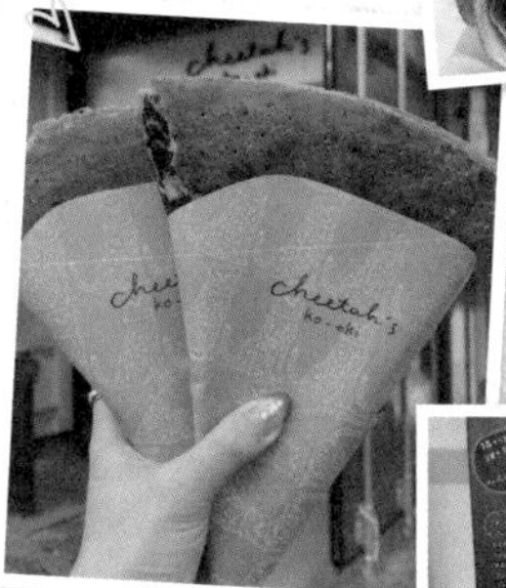

こっちは
チョコスプレーだよ

見て！
このバリエーション！

[住]豊川市久保町葉善寺31　☎0533-75-6248
[営]10:30～17:00※土日祝は11:00～18:00
[休]不定休　[席]12席　[予]不可　[P]5台　[交]名鉄名古屋本線・豊川線国府駅より徒歩約1分　[C]可
[E]Pay Pay／iD／QUICPay他　[Q]Pay Pay／LINE Pay／d払い他

◉その他メニュー
チョコバナナホイップ500円／エシレバターのシュガーバター550円／濃厚バナナジュース430円／からあげヤンニョム味580円

◎ながさきや
長崎屋 の
プリンロール

[Tax 8%] 1300円

数え切れないくらい
リピートしている、
私が一番好きなロールケーキ😊

甘すぎない生クリームの真ん中に
おいしいプリンが入っているのが
ポイント⭐
プリンと生クリームと
卵感の強い生地を
まとめてお口に運ぶっ！
最高にうまうま😍😍

流行りのおしゃれな見た目じゃなくて
素朴な感じが
キュンキュンするの🤍

そして、なんといっても
私が心を鷲掴みされちゃうのが
キャラメリゼしてある
表面のザラメ❣
ジャリジャリしてて、
ほんのり焦がした苦味が
ロールケーキの甘さの
アクセントになってて、
食感と香ばしさが絶品なのよっ🙏✨

生クリームの量が多すぎないのが
全体の絶妙なバランスに
つながってるのかなぁ。
フルーツが入ってないロールケーキって
ほんとはあんまり食べない派なんだけど
これは別😆🍴
どんどん食べちゃう😋💕

> ## トータルパーフェクトな
> ## ロールケーキ！！

📍本巣郡北方町北方1507 ☎058-324-0209 🕐8:30〜19:30 休火曜、第3水曜 🪑12席 🚭不可 🅿5台 🚌岐阜バス北方バスターミナルより徒歩約5分 Ⓒ不可 Ⓔ不可 ⓝ不可

●その他メニュー
カステラ（プレーン、抹茶）1200円／淡墨街道200円／オレンジパウンドケーキ（1本）1800円／バームクーヘン1200円

ジャリジャリ
うまうま♡

サトウキビ100%の
赤砂糖でキャラメリゼ

一本丸かじりした〜〜い

プリンとクリームと
キャラメリゼが最高のハーモニー

卵黄多めで焼き上げた
昔ながらのしっとり生地

Take out

#まさに神的テイクアウトスイーツ

ダマンドを使っていない私的神タルト♡

フルーツごとに
クリームが違うって神

土佐文旦のタルトの上にのっているのはラムレーズン

特におすすめ

赤い果実のタルトのクリームは、キルシュ風味のカスタード

朝行くとショーケースにずらーーっと幸せが並んでて、いいわあ (*´ω`*)

◎ちいさなかしてん フィーカ
ちいさな菓子店 fika. の

季節のフルーツタルト

[Tax 8%] 680円～

タルトにダマンドは不要! って、
いつも声を大にして言ってる私😅
そんな私にとって
fika. の季節のフルーツタルトは
文句なく神……🙏💕

ダマンドの代わりに
それぞれのフルーツに合ったクリームが
考えられている❣

デコポンにピスタチオ風味の
カスタードクリームを合わせるなんて
発想がスゴイ👑

私のイチオシは土佐文旦のタルト👍
アールグレイの軽めのクリームに
土佐文旦と自家製柑橘ジャム、ラムレーズン💘
まさにザ・キング・オブ・タルト!!
タルト好きさんはゼッタイに食べてほしい😉

[住]名古屋市千種区菊坂町2-2 シャトレータカギ1F ☎052-846-6657 [営]11:00～18:00 [休]日曜、月曜、火曜 [P]1台 [交]地下鉄東山線覚王山駅④出口より徒歩約3分 [C]不可 [E]不可 [Q]不可

◉その他メニュー
サントノーレ630円／レモンと焼きメレンゲのタルト560円

Take out

#サクパリ♪ スイーツ

サクパリの極み☆

薄さにオドロキ!!
パリッパリのクレープ♡

サクパリ度をたとえるならルマンド級!
地産地消の卵を使ってるんだよ

奈。かふぇ の

イチゴクリームカスタード

Tax 10% 670円

○な かふぇ

焦がしバターを使って
焼き上げられたクレープ生地は、
薄くてサクッパリ✨
どうしたらこんなに薄くできるの?! 😃

冷めてもサクパリ★
いや、冷めると下の方が
もっと、もーーっとサクパリッッとなって
たまらなく楽しい歯触り😎
ソフトなクレープもいいけど
私は断然こちらがオススメ👍👍

どこか素朴な感じの可愛らしい店内で、
イートインもできるよ😊✨
アットホームなカフェには
カフェ飯もたくさんあったよ〜🍴

📷 🐦 📘 HP

🏠豊橋市神明町大手ビルA棟105 ☎080-6979-7853 🕚11:00〜19:00 休火曜 席20席 予可
Pなし 🚃豊橋鉄道市内線新川駅より徒歩約3分
C不可 Epaypay ◎Pay Pay

●その他メニュー
ママのオムライス550円／デミオムライス780円／明太パスタ800円／キーマドリア780円

Take out

＃大人のテイクアウトスイーツ

ビターなキャラメルクリームがほんのり オ・ト・ナ

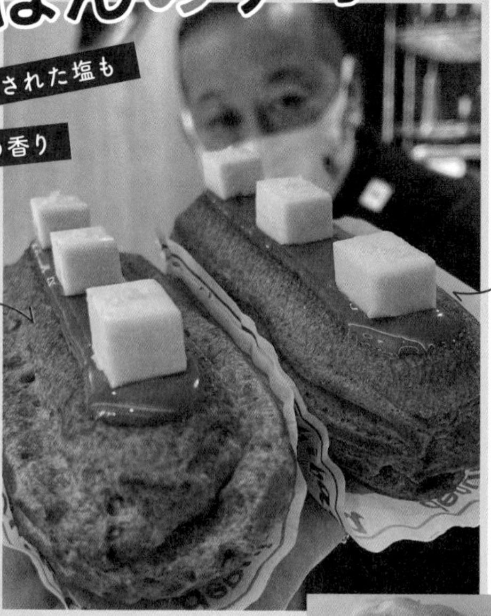

バターも、トッピングされた塩も
本場フランスの香り

バターは、
フランスAOC有塩バター。
ブルターニュ地方の
塩職人が伝統手法で
つくったゲランド塩をON。

しっかり焼かれた
シュー生地も文句なし

◎シェ・シバタ なごや
シェ・シバタ 名古屋 の

エクレール オ ブールサレ

[Tax 8%] 460円

お店の雰囲気は、 一言でいうと和モダン。
スタイリッシュな店内はさすがです👏
オーナーパティシエ・タケシの
センスが光ってる👍

角切りのバターがのったキャラメルの
エクレールは少し苦味のあるビターな
キャラメルクリームに
バターが絶妙にマッチ🎀
おいしすぎて言葉を失ったよ😭

大人のエクレールはコレ！！

こっちも外せない

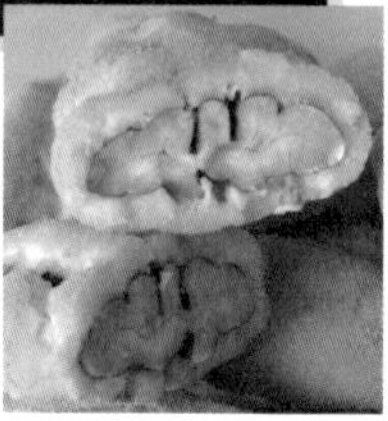

ペカンナッツショコラキャラメルサレ
※冬季限定
[Tax 8%] 842円

ペカンナッツが
ホワイトチョコで
コーティングされてるの。
甘すぎない。
食べると止まらないくらい、
やみつきにー。

[住]名古屋市千種区山門町2-54 ☎052-762-0007 [営]10:00～19:30(喫茶LO19:00) [休]火曜 [席]18席 [予]不可 [P]提携駐車場あり [交]地下鉄東山線覚王山駅①出口より徒歩約2分 [C]可 [E]Pay Pay [Q]不可

◉その他メニュー
ショーソン・オ・ポム350円／クロワッサン・ア・ラ・クレーム320円／ヴィジタンティーヌ216円／バーンチーズケーキ1680円／覚王山チーズケーキ1850円

◎スイーツ ギャラリー アマンダ
SWEETS GALLERY AMANDA の

王様のシュークリーム

[Tax 8%] 302円

たっぷり生クリームと
濃厚カスタードクリームの贅沢コラボ❣
2つのクリームが混ざって
とってもまろやか❣
どちらもおいしいから、
間違いなく最強の組み合わせ✌

生クリームの山のてっぺんに
ちょこんとのっているのは
ザクザクのクッキーシュー❣
なんて可愛いフォルムなの💕
手土産にもらったらゼッタイうれしい💋
さすが王様👑

いちごや桃の形をした
フォトジェニックなケーキが多いAMANDA。
女子センサーがくすぐられるお店だよ♥

クッキーシューから
生クリームがモコモコッ
AMANDA
King of Chou a la crème
王様のシュークリーム

こんもり生クリームの山がズラリ!

おいしい×おいしいのコラボは最強の贅沢だ!!

HP

[住]名古屋市中村区佐古前町20-20 ☎052-482-0606 [営]10:00～19:00 [休]水曜、第1･3木曜 [席]14席 [P]5台 [交]地下鉄東山線本陣駅より徒歩約5分 [C]可 [E]iD／QUICPay／manaca他 [Q]不可

◉その他メニュー
ストロベリ子540円／マリア540円／ショートケーキ 486円

老舗ドイツパン店の本気エクレア

サクッと軽い食感と
コクのある甘味のマッチング

中にもたっぷりモカクリーム！
売り切れ必至！　電話で予約を！

◎ブルーデル
bruder の
モカエクレア

[Tax 8%] 350円

瑞穂区の桜山駅近くにある
ドイツパン🍞のお店のスイーツ♥
丁寧に焼き上げられた
絶品のモカエクレアです😃

お気に入りポイントは
たっぷり入ってるモカクリーム♥
濃厚なのに甘ったるすぎない💕
シュー生地のサックリ軽感と
絶妙なマッチング👍

こんなところにこんなおいしい
モカエクレアがあったのね😍
また絶対買いに行くと誓う✨

[住]名古屋市瑞穂区駒場町5-12-5 ハイライズ瑞穂1F　☎052-851-2015　[営]9:00〜19:00 ※日曜、祝日は〜18:30　[休]火曜、水曜　[P]2台
[交]地下鉄桜通線桜山駅⑤出口より徒歩約3分　[C]不可　[E]不可　[Q]不可

◉その他メニュー
ザルツブレッツェル140円／カイザー80円／クロワッサン200円／クッキー袋1600円／チーズケーキ350／シュークリーム320円

旬のフルーツがドーン♡

ほとんどフルーツといっても
過言ではない！

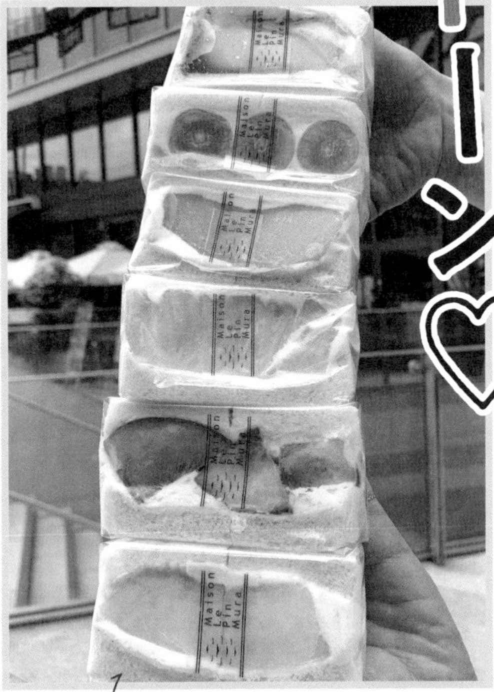

ドーンとこのボリューム！
上から順に、プリン、シャインマスカット、
マンゴー、完熟パイン、イチジク、クラウンメロン

◎チャーリーズ なごやてん
CHARLIE'S 名古屋店 の

ルパンミュラの フルーツサンド

[Tax 8%] 410円～594円

高級フレンチ「メゾン ルパン ミュラ」の
シェフが手掛けた、フルーツサンド。
ここ「CHARLIE'S」でしか買えない逸品✨

パン、生クリーム、カスタードクリーム、
フルーツのバランスが絶妙！
クリームはおいしいけどパンがねーとか
フルーツはおいしいけどクリームがねーとか、
そういうことがなくて、
ぜんぶ、クオリティ高くて大好き♥

最初から真ん中に切れ目が入ってて
こんなにボリューミーだけど食べやすい👍
プリンサンドのプリンは、このためだけの特製！
プリンの硬さがジャストで、ハマるー😍

人気だから
早めの時間に行かないと売り切れかも♥

[住]名古屋市中村区名駅3-28-12 大名古屋ビルヂング B1F
☎052-565-1112 [営]10:00～22:00(LO21:30) ※土日祝は8:00～22:00(LO21:30) [休]元日(施設に準ずる) [席]40席
[予]可 [P]大名古屋ビルヂング駐車場(ご利用料金に応じて割引)
[交]各線名古屋駅④出口より徒歩約1分 [C]可 [E]Pay Pay／iD／QUICPay他 [Q]楽天ペイ／Pay Pay／LINE Pay他

Take out

#最強ハーモニースイーツ

2層のチーズケーキの
断面がツボ!
コクがあるのに後味さっぱり
西尾市のふるさと納税返礼品だよ

◎チーズケーキオッコ

チーズケーキオッコ の

超濃厚2層 チーズケーキタルト

ホール [Tax 8%] 3500円
カット [Tax 8%] 380円
(ホールは要予約、カットは予約推奨)

西尾の住宅地にあって、
穴場中の穴場。
隠れ家的なお店です🏠
チーズケーキ専門店とゆーか、
本気でこれのみ!

発酵バターを使った
パートシュクレのタルトに
濃厚なレアとベイクドのチーズケーキが
2層になってる。
すごく好みなチーズケーキ😍
タルト生地が4面になる端っこが好き♥

濃厚だけど塩気もあって、バランス[OK]
食べれば食べるほどおいしい!

売り切れてるかもだから、
事前に電話で確認してね。

隠れ家で生まれる超濃厚チーズケーキ

OPEN

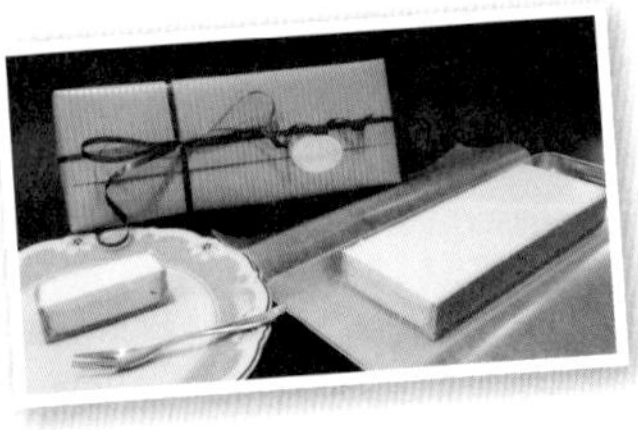

予約すれば
ホールでも買えるよ♪
タルトの風味が抜群

[住]西尾市寺津1-7-15 ☎0563-59-4684 [営]カット販売、予約商品の受取り水～日曜13:00～18:00 ※売り切れ次第終了 [休]月曜、火曜 [P]2台 [交]知多半島道路半田ICより約24分 [C]不可 [E]不可 [Q]Pay Pay

◉その他メニュー
カットチーズケーキはしっこ330円(予約不可)

＃サックサク! テイクアウトスイーツ

異次元のサックサク体験

片手に持ちやすい
サイズなの

〈下段左から〉チョコレート、ベリー、レモン
〈中段左から〉かぶせ茶（緑茶）、紅茶
〈上段〉カスタードクリーム
一つひとつのこだわりがスゴイ♡

全部めっちゃおいしい♪
サックサク以上のサックサク!

◎コルネせんもんてん コルネルコ

コルネ専門店 cornerco の

コルネ

カスタード　[Tax 8%]　290円

レモン、ベリー、かぶせ茶（緑茶）
[Tax 8%]　各300円

紅茶、チョコレート　[Tax 8%]　320円

バター風味のコルネ生地に
注文を受けてからクリームをイン★
だからサックサク★
サックサクを上回る言葉があるなら
それをこれにつけたい!
サックサクの向こう側に行っちゃった!
そんなコルネ💕

「ベリー」はほんのり酸味が絶妙😋
イチゴ・ラズベリー・ブルーベリーの
3種の果肉入りだよ🍓
「チョコレート」はなめらか〜✨
ベルギー産チョコなんだって🍫
なかでも私の No.1 に輝いたのは「紅茶」!
アールグレイのクリームが風味豊か😆

いろいろ食べたいなら
ハーフサイズがいいよ

総菜系も
うまうまだから、
要チェック!

チョリソー、カレー
[Tax 8%]　各340円

📷 🐦 📘 🅷🅿

🏠名古屋市千種区日進通4-4-9 ☎052-751-6999 🕐10:00〜
18:00 🈺不定休 🪑4席 🅿可 🅿なし 🚃地下鉄東山線覚王山駅よ
り徒歩約10分 🅒不可 🅟paypay 🅟paypay

◉その他メニュー
アイスコルネ(自家製バニラアイス)360円

077

#パン系テイクアウトスイーツ

一目惚れするデニッシュ♡

和栗の上品な甘さとの
絶品コラボ♡

デニッシュ自体は結構ずっしり系
食べ応えあり

おいしいしか
想像できない見た目

◎メゾン デュ ミエル
maison du miel の

和栗モンブランのデニッシュ

Tax 8% 518円

クロワッサンの生地に
カスタードクリームと生クリーム😋

上から和栗を使ったモンブランペーストが
これでもかってくらいたっぷりかかってて、
見た目からして、最高でしかない✨
このデニッシュの層と形も、おいしいってわかるやつ👍

デニッシュがシンプルなので上の甘味と合うんだな〜💕

デニッシュはほかに、
旬のフルーツを使ったものが季節ごとに登場するよ♪
どのデニッシュも期待を裏切らないおいしさ😍✨

🏠名古屋市中川区八熊3-17-3 サンメゾン八熊1F
☎052-228-7687 🕙10:00〜19:00 休月曜、火曜不
定休 席12席 予不可 P4台 名JR東海道本線尾頭橋
駅より徒歩約10分 C可 E楽天Edy／Pay Pay／iD他
●楽天ペイ／Pay Pay／LINE Pay他

●その他メニュー
クロワッサン256円／ミルクフランス324円／苺とピス
タチオ518円／和栗のモンブラン604円

丸ごとレモン 笑笑 もはや私の殿堂入り☆

強炭酸で割って

自分好みのレモネードスカッシュに♪

アルコール入りのレモンサワー原液もあるよ
1本で毎日レモネードざんまい
超絶おすすめ商品 ♪♫

◎なやばし そうざいさかば しぜんやナムル
納屋橋 惣菜酒場 自然やナムル の

レモネード

[Tax 8%] 1000円

このレモネード原液は
ここにしかない唯一無二の商品!!
果肉たっぷり&トロトロ💗
マジでおいしい👌✨
レモンを皮ごとすりおろして
作られてるの!!

レモンの爽やかな酸味も
皮のほどよい苦味も、
ぜーーんぶ詰まっていて
「こんなおいしいレモネードある?」って
なるんです😋✨
これはもう、レモネードというより
丸ごとレモンドリンクだね💕常備決定🎉
炭酸水で割ってソーダにするよ

人気商品だから予約がいいよ👍

予算
☀ 1000円~
☾ 3000円~

[住]名古屋市中村区名駅5-33-10 アクアタウン納屋橋1F 商108
☎052-587-2060 [営]月~金曜、祝日、祝前日11:30~14:00、17:00~23:00(LO22:30)※土曜は12:00~23:00(LO22:30)
[休]日曜 [席]60席 [予]可 [P]なし [交]地下鉄桜通線国際センター駅③出口より徒歩約7分 [C]可 [E]paypay [Q]paypay

◉その他メニュー
ナムル屋のビビンバ700円/ベジキンパ680円/プルコギキンパ880円

Take out
昭和のテイクアウトスイーツ

懐かしいモカソフト

クリーミーなカフェオレ味♡

お店の昭和感ともマッチ

薄めのカフェオレがちょうどいい

◎モカこーひーてん
モカ珈琲店 の

モカソフト

[Tax 10%] 320円

モカ珈琲店は
大須商店街のなかにある喫茶店。
店内も外観も、
すべてが昭和ーーって感じ。

私は、 ここのモカソフトが
大好きなんだな～♥
大好きすぎて、
寒くても我慢できずに
食べに行っちゃうくらい😅

お味は、 写真の色を見てわかる通り、
濃厚タイプではなく
あっさり薄めのさわやか系。
コーヒー感も強くなく、
ソフトクリームのミルクと溶け合って
カフェオレって感じ☕
それがまた私好みすぎるのー😍😍😍

[住]名古屋市中区大須2-18-18 ☎052-201-3770 [営]6:00～19:00 [休]月曜(祝日、18日、28日の場合は火曜) [席]20席 [予]不可 [P]なし [交]地下鉄鶴舞線大須観音駅②出口より徒歩約3分 [C]不可 [E]不可 [Q]Pay Pay／au PAY

◉その他メニュー
ブレンドコーヒー400円／あんトースト450円／コーヒーゼリー450円

#イニシャルトーク
紹介できなかった美味しいスイーツ

ここでは、載せられなかったスイーツやおやつを紹介しちゃいます。
毎日でも食べたくなるものを集めたよ！

01

小腹が空いた時に最高なのが
チェーン店「O」の焼き大福 ✨
小さなコンロで自分で焼いて
アツアツを食べる！
でも、やけどに注意してね笑笑
特によもぎ餅がお気に入り😎

02

お餅といえば天白の「M」も外せない ✨
このお店は手作業で作っているので
いつもつきたてが食べられる 👀
中でも焦がし醤油餅は、香ばしくてもっちり💕
味も香りも最高！

03

守山の「I」は、五平餅が美味しいお店😍
味噌と醤油があって
醤油は鰹だしみたいな独特の風味が
メチャクチャ好き💕
お餅も味噌も全部手作りだから
独自の味が際立ってる

04

シュークリームでオススメなのが
小牧の「S」😎
サクサクの四角いパイ生地に
たっぷりのダブルクリームを挟む
オリジナルなスタイル・・
お土産にも最適 ✨

05

刺激的なチョコミントで有名な
東京の「E」は、さすがに見た目もキレイ！✨✨
ラムレーズンやアーモンド入りもあって
お取り寄せのおすすめ 😊💕

06

「K」お馴染みの栗観世は
ぷるんぷるんの生地の中に
名物の栗きんとんが入った優れもの
冷やして食べると
口の中がひんやりして
独特の甘みが広がるよ💕

キラキラ
マグロでしあわせー！

「玉子きゅうり」120円（2貫）を入れると色のバランスも◎
※写真は4貫分

細巻

いろんな食感と味が楽しめる

本鮪太巻

具が飛び出すほどの
ボリューム！

◎うおがしほんぽ ぴちてん ほんてん
魚河岸本舗 ぴち天 本店 の

本鮪太巻 [Tax 8%] 1本3300円
細巻 [Tax 8%] 1本520円

ランチもやってる居酒屋の
テイクアウト寿司がヤバい!
本鮪太巻きがメチャ美味✨
おいしすぎて、即リピしちゃった😋
毎日テイクアウトしに行きたいくらい笑笑

大きなマグロはもちろん、
ネギや大葉やたたきも入ってて、
見た目もキレイ✨
それぞれの食感と風味が
口の中で合わさってすごくおいしい♥
まぐろちゃんもとっても新鮮で、
キラキラ✨してるよ。

それでいて、この値段(￣∇￣)b
ハーフサイズもあって、
めっちゃコスパがいい!

細巻は見た目シンプルだけど、
しっかりおいしくて、食べやすいから
ぱくぱく食べられるよ!
どちらも食べて欲しい!!

事前に予約しておけば受け取りもスムーズ
折り詰めに並んだのを見てる😆だけで
ワクワクして、もー素晴らしい!

写真の細巻は3本分だよ

大きなマグロを巻き巻き

新鮮なまぐろちゃんがたっぷり
見た目もカラフル!

[住]名古屋市中村区名駅2-36-17 ☎052-563-2800 [営]11:30～14:00(LO13:30)、17:00～23:30(LO23:00) ※土日祝11:30～23:30(LO23:00) [休]年末年始、他不定休 [席]131席 [予]可 [P]なし [交]各線名古屋駅①出口より徒歩約2分 [C]可 [E]不可 [Q]Pay Pay／au PAY

◉その他メニュー
笑福1人前(12貫)1500円／幸福1人前(12貫)2000円／極み1人前(12貫)2500円

Take out

#野菜ガッつりテイクアウト

最強のテイクアウトメニュー

いろいろ選べるから楽しい!
私のイチオシはしょうゆポテトだけど、無いこともあるんだよね。あったら絶対食べて!!

ベジタブルだけの
プレートも作って
くれるよ!

[住]名古屋市中区栄1-12-1 CIビル1F ☎052-222-0831 [営]11:00〜22:30(LO22:00) [休]無休 [席]32席 [予]不可 [P]なし [交]地下鉄東山線・鶴舞線伏見駅⑥出口より徒歩約2分 [C]可 [E]Pay Pay/iD/QUICPay他 [Q]Pay Pay

◉その他メニュー
サーフ&ターフ1480円/チキンプレート1080円/ガーリックシュリンプ1280円/ハンバーグプレート1080円/ロコモコ800円/マラサダ(デザート)160円

◎ヤミーバーベキュー さかえほんてん
ヤミーバーベキュー 栄本店 の

ヤミースペシャル

1380円※テイクアウト/イートイン税込み同一価格

何回食べても飽きないから
もう15年以上ハマってる✨✨

中でもイチ押しなのが
3種類のお肉🍖と、4種のベジタブルが
それぞれ選べる
コンビネーションプレートのヤミースペシャル!
お肉もカルビは骨付きと骨なしが選べるよ

私流の注文は、いつもご飯2玉→1玉にして、
ベジタブルを1つ追加! そんなことも OK 😃

しかもベジタブルのみの注文でも OK!
ここのベジタブルは、しっかりおいしいし、
おうちにみんなが来るときや、
野菜だけ食べたい時には、すっごく便利💕

テイクアウト向けの作り方だから、
味もしっかりしていて、
おうちで食べてもおいしさが変わらない!

名古屋に3店舗あるけど、どこもおいしい
それと安くて早いから、ずっと利用している👍
やっぱりヤミーは最強だわ💗

ハワイっぽい店内の雰囲気も好き♡

Yummy
Hawaiian BBQ

改めて感じた
テイクアウトの王者

モリモリの野菜でヘルシー

ベジタブルだけの注文もOK

私は骨付きカルビをチョイス

ふわとろのたこ焼きに

ねぎ醤油わさびマヨ

たこ焼きの奥深さを感じるよ

最強のタレと薬味

ねぎダレ柚子胡椒マヨ

このソースは絶対
食べる価値アリ！

作っている人の
たこ焼き愛が伝わる

◎たこほんぽ
たこ本舗 の

ねぎ醤油わさびマヨ
ねぎダレ柚子胡椒マヨ

Tax 8% 各6個600円

焼き上がっていく過程
を見るのも楽しい!

キッチンカーで移動販売してるたこ焼き
とにかくふわとろで、超私好み♥
生地に豚骨スープを使ってるみたいで、
山芋も入っててとろとろなの。

そこにおいしいタレと薬味たちがかかって
めちゃおいしいたこ焼きに仕上がってる。

私のお気に入りのタレと薬味は
・ねぎ醤油わさびマヨ
・ねぎダレ柚子胡椒マヨ
もうこの2種がメッチャおいしくて
すっかり虜になっちゃった💕

ワサビ、柚子胡椒ともそんなにキツくないから
あまり得意じゃない人もおいしく食べれるよ!!
私もワサビ強いの苦手だけど、
これはめちゃくちゃおいしくて別格😍
ネギもタレもたっぷりでたまらんよ!

店長の見事な
手さばきに惚
れぼれしちゃう

ソース以外は邪道だ!ってゆー人も
その考えを捨ててこの2種を食べてほしい☺
たこ焼きって奥が深いんだなーって感じた。

移動販売の日程は
お店のインスタでチェック👍
近くでなくてもぜひ食べてほしい笑笑

出店情報はインスタグラムをご確認ください
https://www.instagram.com/takohonpo/
🅒不可 🅔Pay Pay 🅜Pay Pay

●その他メニュー
しょうゆマヨ6個500円／ソースマヨ6個500円／ねぎダレ
チーズマヨ6個600円

洋食屋さんにも負けない 下町の絶品コロッケ

こんがりあがって、
サックサク!

◎とんかつころっけのはしだ
とんかつころっけのはしだ の

コーンクリームころっけ

Tax 8% 110円

何!? このコーンクリームコロッケ🌽は!
旨味のつまったコーンポタージュみたいな
味のコロッケなんて初めて食べたよ!!
玉ねぎの甘さが口の中に広がって
洋食屋さんで出てもおかしくないような味!
まじでおいしかったんだけど💕

コロッケも芋芋しいタイプではなくて
バターが利いててしっとりなめらか!
大味じゃない!すごくおいしい😍
ソースもなんもいらん!
ミンチカツはもうジューシーで、
ボリュームもかなりあっておいしい

揚げたてをその場で食べたら、ほんとに絶品で、
コロッケそんな好きな方じゃないのに、
これはもうハマったわ👍✨

コーンポタージュのような
旨みがギッシリ

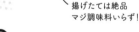
揚げたては絶品
マジ調味料いらず!

🏠江南市古知野町小金55 ☎0587-55-0530 🕐10:30〜13:00、
16:00〜19:00 🈺日曜、第1・3月曜 🅿5台 🚃名鉄犬山線江南駅
より徒歩約9分 💳不可 🅴不可 📱Pay Pay

●その他メニュー
ミンチカツ220円／コロッケ70円

◎たこやきやのあけわ
たこやきやの明和 の

たこ焼き

[Tax 8%] 4個 180円〜
※写真は30個1350円

辛子マヨネーズがそんなに得意じゃない人も
このお店のはおいしく食べられる!
トッピングメニューにはないけど、
注文時に店員さんから
「辛子マヨかけていい?」って聞かれるよ

とにかくこのだっくだくの見た目が最高❤🐙
ツーン系ではなくて、ちょっと甘めでイケる👍
こりゃおいしい😍

正直焼いてるの見たときは、
え?なんかトロトロじゃなさそうだし、
これっておいしい???って疑ってた(￣▽￣)
そして半信半疑のまま食べてみたら
え＼＼＼\('ω')//／／おいしー!

ノーマルのソース味も食べたんだけど、
わりと普通笑笑　とっても不思議!?
同じたこ焼きなのに、辛子マヨで大変身!

やき
明和
ふわっと軽〜い
何個でも食べれちゃう

注文時に聞かれたら迷わず
「辛子マヨ」を頼もう!

だくだく辛子マヨで味が大変身!!

やっぱりたこ焼きは焼きたてに限る

やき
明和

[住]春日井市明知町837　☎0568-88-5690
[営]10:00〜※売り切れ次第終了　[休]月曜
[P]6台　[交]中央自動車道小牧東ICより約7分
[C]不可　[E]不可　[Q]不可

◉その他メニュー
たいやき1枚130円(小倉あん、カスタードクリーム、むらさきいもあん、チキンナゲット)／お好み焼き400円〜550円／やきそば400円〜550円／とりたて野菜どれでも100円

マジでうまい
韓国チキンの最強コンビ！

このチキン、中毒性あり

BLACK ハニーコンボチキン

フライドガーリックとタレたっぷり

ハニーマスタードチキン

味は全部で7種類あるよ

テイクアウトでもカリカリのままが
超うれしー

◎ウォンシャチキンアンドキンパ しんさかえプレミアムてん
ウォンシャチキン＆キンパ 新栄プレミアム店 の

ウォンシャチキン BOX

Tax 8% レギュラーBOX 1069円〜

このウォンシャチキンは
アツアツはもちろん、冷めてもカリッとしてて激うま！

ハニーマスタードチキンと、
BLACK ハニーコンボチキンが私の鉄板👍
ハニーマスタードは
マスタードソースを別添えにしてもらって
カリッカリを楽しみながら食べるのが最高！
定期的に食べたくなるほど中毒性あり🖤
そして特製醤油味がまた当たりっっ✨
和風の感じが他のものと違ってよき味！

フードデリバリーもテイクアウトも OK だけど、
私はテイクアウト派😄👍
店から出たとたんにカリッカリを食べる！
至福のおいしさでヤミツキ🖤

こっちも外せない

魔女の牛カルビキンパ
Tax 8% 918円

明太子＆マヨキンパ
Tax 8% 810円

どれもたくあんが
ガツンと入っていて、
食感もよく、
美味(ｏ´∀｀ｏ)

📷 🐦 f HP

🏠名古屋市中区新栄3-1-1 新栄町ハイツ1F
☎052-249-5929 🕐17:00〜24:00(LO23:30)
🈺不定休 🪑40席 Ｐなし 🚃地下鉄東山線新栄
駅②出口より徒歩約5分 💳不可 Ｅ不可 ？不可

◉その他メニュー 海鮮チヂミ1080円

◎インパール おおすてん

インパール 大須店 の

ハニーチーズナン

M サイズ [Tax 8%] 650円
L サイズ [Tax 8%] 950円

たっぷりのチーズを自家製ナンで包み
本格炭火タンドールで焼き上げてるの✨
そこにたっぷりのハチミツ★
ほんとにおいしい! まじで好き!
大須に来たら絶対食べたくなっちゃう💕

チーズたっぷりのチーズナンも安いけど、
ハニーかけて+100円はさらにおトク!!
ハチミツもたっぷりかかっていて、
いつ食べても変わらない、
安定したおいしさ!!!

お家で食べる時はLサイズだけど、
食べ歩きにはMサイズがぴったり!
紙皿も出してくれるよー😋

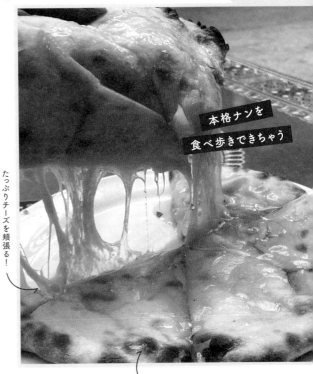

たっぷりチーズを頬張る!

本格ナンを
食べ歩きできちゃう

石窯で焼いた香ばしい食感が
たまらな〜い♪

さくふわとろーり!!
チーズもハチミツもたっぷり!

📷 🐦 ⓕ 🅷🅿

🏠名古屋市中区大須3-36-31 ☎052-251-1003 🕐11:00〜
23:00 📅無休 🪑40席 🈯可 🅿なし 🚃地下鉄名城線・鶴舞
線上前津駅⑧出口より徒歩約5分 🅲可 🅴不可 💳Pay Pay／
d払い／au PAY

●その他メニュー
チーズナン550円／チョコレートナン550円
／チキンティッカ550円／ラッシー450円

Take out

永遠に残したい味

おじいちゃんが焼く！絶品イカ焼き

おいしさの秘密は
謎のオレンジの粉！？

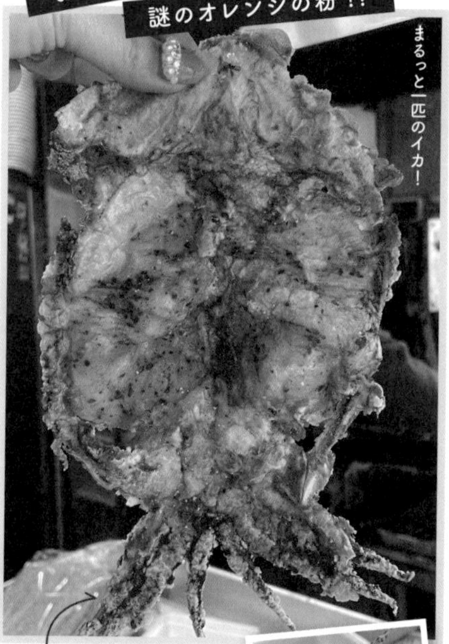

まるっと一匹のイカ！

珍しいイカのプレス焼き！

◎ことぶきのみせ
寿の店 の

イカ焼き

[Tax 8%] 500円〜

10年くらい前になんとも言えない外観に惹かれて・・
入ったのがきっかけ
おじいちゃんが一人で、ちっちゃなスペースで
イカを開いてそのままプレスしてるんだけど
そのイカがもーめっちゃくちゃおいしくて!!

イカ焼きなんだけど、
プレス焼きタイプってなかなかないと思うし、
謎のオレンジ色の粉がきっとおいしさを増してる

イカは絶対国産を使用するのがこだわりみたいで、
プレスされててもやわらかく、
もー、とにかくおいしいったらない!!
マヨネーズと一味をかけて食べれば、激ウマ!!
値段は時期や大きさで変わるそうです
焼く前におじいちゃんが値段を教えてくれるよ！

永遠に残したい味！引き継ぎたい味！
やっぱ、おじいちゃんのイカは最高だわ♥

食べやすい
大きさにカット
してくれるよ

[住]名古屋市熱田区大宝1-1-1 ヴェルクレート日比野A棟 1F ☎052-671-1642 [営]10:00〜16:00 [休]月曜、木曜、金曜 [P]なし [交]地下鉄名港線日比野駅④出口より徒歩約2分 [C]不可 [E]不可 [Q]不可

こっちも外せない

自家製エビせんべい

[Tax 8%] 1袋 500円

おじいちゃんが一枚一枚焼きあげる
おせんべいも美味!!
これも絶対食べてほしい

Hamburger

＃映えるメガ盛り

オイシイを全部のっけてみた

肉肉しいパテとベーコンの
存在感がスゴイ!

憧れのバーガータワー

◎メイホク バーガー
MEIHOKU Burger の

メイホクバーガー

[Tax10%]〈単品〉1760円
〈全部のせ〉3680円

色んなバーガーを食べてきて
私的にトップ３に入る
ハンバーガー屋さん!

ビーフ100%パティと
厚切りベーコンまで入った
看板メニューの「メイホクバーガー」🍔
憧れの全部のせに挑戦!!

チェダーチーズ、 アボカド、
たまごに、 その他いろいろ✨
トッピングが全部
それぞれちゃんとおいしくて、
どの部分を食べてもおいしい😍
全部食べてもおいしい!

めちゃくちゃ満足です😭✨

バーガーに合わせるドリンクは、
自家製レモネードがイチオシ
アメリカンな炭酸飲料や
クラフトビールもあるよ

[住]名古屋市中区栄1-12-35 丸茂御園ビル1F ☎052-222-5158
[営]火～土曜11:00～15:00(LO14:30)、17:00～21:30(LO20:30)、日曜11:00～17:00(LO16:30)※売り切れ次第終了 [休]月曜、月1回火曜(中旬)
[席]16席 [予]夜のみ可 [P]近隣にコインパーキングあり [交]地下鉄東山線・鶴舞線伏見駅⑥⑦出口より徒歩約4分 [C]不可 [E]不可 [Q]Pay Pay

予算
☀ 900円～
☾ 1000円～

[HP]

COLUMN03

nagoya.mの 1日に密着!!

いつもいろんなお店を食べ歩き、
美容系の投稿もしちゃうnagoya.m
アクティブでパワフルな
彼女の一日に密着しちゃいました!

> この日は朝から忙しい!
> 目がぐるぐる回っちゃうよ
> 笑笑

10:00

お気に入りの化粧品がもうない!
朝イチで買いに名駅へ!

> たくさん買って、荷物が重いから
> 一度家へもどらなきゃ!

11:30
Re:Vamp 隠れ家的美容サロン

> インスタ仲間に
> 紹介してもらったお店で
> 美Siri整体と美容鍼を
> 受けます

こ〜んなに脚があがっちゃう
こう見えて体が
柔らかいんです笑笑

美容鍼中
ハリネズミみたい!?

nagoya.m
美の秘訣

「美しさのために努力は惜しまない!」
それが私の主義!

Royal Muse

ここでダイヤモンドネイルをしてから
運気が一気にアップした!
幸福パワーをくれた縁起のいいお店です

美容師SHIRAKI

名駅のtimessalonを利用してる美容師さん
髪のアンチエイジングで
生き返らせてくれる神!

20:30

お疲れさまでした！！と言いたいけど
今夜も我が家には誰かが
遊びに来てるはず笑笑

17:30

うな幸 （→P40）

高校時代からの親友と一緒に夕食へ
彼女のリクエストは「うなぎ」の一択
それなら迷わず、この店でしょ！

今日は「うな重」にしたよ
ここは焼きもタレも絶品！

夏のうなぎ屋は込むよね〜
でも、並んででも美味しいものを食べたい！

15:00

CAFE Toland

大須のカフェが新作の
夏スイーツを考案した
という情報をGET
インスタ仲間4人で
試食です

「エスプーマかき氷」
キャラメル・ストロベリー・抹茶の3種類
どれも美味しかった！

初めて飲んだアイスチャイ
ちゃんとチャイしてたよ♪

みんなに美味しさが伝わる
写真を撮れるよう
いつも試行錯誤しながら
撮影してます！

ピッチピチで角が立ってます

この華やかさ、パーティに最適

臭みなんてどこにもなし
外れナシで全部おいしい

◎せんぎょ まるはま

鮮魚 丸浜 の

お刺身盛合せ

[Tax 8%] 6480円

おうちパーティには、 これでしょ！！
丸浜の超豪華な刺し盛🐟🐚🐙🐟
切り方も盛り付けも美しくて、
角がピンッと立ったお刺身が
キラッキラ輝いてて、
まぶしー😲✨

とにかくネタが新鮮✨🐟✨
全部おいしくて、
ほんっっとにこのクオリティで
このお値段は他にはないと思う!
ちなみに写真の盛り合わせは
6000円＋税也😆
注文するときは
まず予算や量の希望を
電話で伝えます。
そのあと、 お店に取りに行って、
後日、 お皿を返却するシステム。

でも、 このお皿が高級感あって素敵❣
このままパーティに突入🆗👍
私はこれで
手巻き寿司パーティをするのが
お気に入りです。

美しいお刺身は

ホムパ最強アイテム☆

鯛が２種類入ってて、
大トロまで入ってた!

別日の刺盛り

持ち帰りのみの
鮮魚専門店だよ

こっちも外せない

うなぎ長焼

[Tax 8%] 2590円〜

自家製のタレを使用し、
炭火で丹念に生から焼いた長焼き。
今度はこっちも食べてみたい!😋

[住]弥富市平島中4-70-2 ☎0567-65-5222 [営]10:00〜19:00 [休]水曜 [P]5台 [交]近鉄名古屋線近鉄弥富駅より徒歩約16分 [C]不可 [E]不可 [Q]不可

Home party

#肉×肉ホームパーティ

お肉への愛が溢れてる

最高級部位のサーロインを使用

予約が取れないお店のお肉をお取り寄せ！

アルコール凍結で、おいしさそのまま
ハンバーグのこの厚み！専用のタレ付き！

◎やきにくみつぼし
焼肉みつ星 の

和牛サーロイン ローストビーフ×旨い!! みつ星ハンバーグ セット

Tax 8% 5390円
※送料別

マイスターの肉愛が詰まったお取り寄せ BOX ✨✨
・和牛サーロインのローストビーフ 230 グラム🥩
・特製ハンバーグ 100 グラムが 4 人前🥩🥩🥩🥩

あの、 みつ星のローストビーフが
解凍してカットするだけで、
自宅で食べられちゃうなんて、
うれしすぎる😍🙏
タレもついててご飯にも合うし、
これには感動した～🖤
あ、 卵は自分で用意したヤツね

ハンバーグは、 この通販のために開発した商品で
鉄板で焼くだけでフワっとふっくら仕上がって
もう最高です (o´∀`o) ✨

予算
☀ –
☾ 6000円～

HP

[住]名古屋市中区金山3-15-18 ☎052-322-7390 [営]火～土曜17:00～23:00（LO22:30）※日曜・祝日は17:00～22:00（LO21:00） [休]月曜、第3火曜（祝日の場合は翌火曜） [席]50席 [予]可 [P]3台 [交]各線金山駅①出口より徒歩約7分 [C]可 [E]不可 [Q]Pay Pay

な〜んにも用意しなくて OK！
手間をかけた自家製の煮切り醤油付き

みんな大好きな手巻き寿司で
ホームパーティしよう

新鮮な寿司ネタの
詰め合わせ
電話予約してね

技ありの炙りもの。時間が
たってもちゃんとおいしい♪

◎たちぐいすし きわみ
立ち食い寿司 極 の
極上手巻き寿司
※写真の板ウニは別売

Tax 8% 1人前 4320円

これで3人前のテイクアウト・セット✨
シャリ、海苔、醤油、甘ダレ、
みんな揃ってるから、
おうちですぐに
手巻き寿司パーティができちゃう🍣

私は巻き物が好きだから、
この手巻き寿司セットが
ドンピシャで好み🖤

そもそも極のシャリが大好きなんだけど
テイクアウト用に水加減を変えて
炊き上げてるんだって！
そりゃ、おいしくないわけがない😊
マジで大満足のパーティができたよ〜🎉

2人前から注文OK😊🍙
楽しくて幸せなおうち時間にピッタリ😎

┌─ 予 算 ─┐
☀ 1500円〜
🌙 5000円〜

Instagram Twitter Facebook HP

🏠名古屋市中村区名駅4-22-8 ☎052-551-
1766 営火〜土曜11:30〜14:00、17:30〜
23:00 ※日曜は11:30〜20:00 休月曜、第2・4
日曜 席7席 予可 P なし 交各線名古屋駅⑦
出口より徒歩約8分 C可 E不可 Q不可

エビ大きいっ🦐
やっぱり一番人気

おいしいが詰まった玉手箱

お肉も野菜も大満足 焼き肉パーティは これで決まり!! ☆☆

野菜にナムルを包んでも美味 ♥

カラフルな14種類の野菜が山盛り!

お肉の総量2人前で350グラム 付けタレもGOOD☆

宝タクシーのデリバリーが利用できるよ

◎しょうあん かんさいぼう さかえおおつどおりてん
松庵 韓菜房 栄大津通店 の

特選サンパセット

Tax 8% 3980円

豚肉も牛肉も、 どっちもある!
海鮮サムジャン味噌や薬味ネギ、
ニンニクチップ、 青唐辛子!
そしてなんといっても
カラフルな野菜たち😎🎶

サンチュ、 ごまの葉、 ルッコラなど、
こんなにたくさんの野菜が食べれるなんて、
女子はほんとにうれしい😭🙏
男子だって、 お肉を巻き巻きすれば
たっぷり野菜がとれちゃうっっ✨

これで2人前3980円税込!
これだけのお野菜を揃えるのは
なかなか難しいよね😆

焼き方や食べ方のアドバイスを
書いた案内が入っているので
参考にしてみて!

🏠名古屋市中区錦3-6-29 サウスハウスB1F ☎052-961-1400 🕐11:30〜15:00(LO14:00)、17:00〜23:00(LO22:30) 🈺不定休 🪑84席 🅿なし 🚃地下鉄東山線・名城線栄駅、名鉄瀬戸線栄町駅②出口より徒歩約3分 🅲可 🅴Pay Pay 🅿Pay Pay

予算
☀ 1000円〜
🌙 6000円〜

たっぷり生クリームで見た目のインパクト大！

パーティを盛り上げる☆彡

お店の一番人気ケーキ・ジャポネを
5人前のケーキにしてもらったよ

◎ピエール・プレシュウズ ほんてん
ピエール・プレシュウズ 本店 の

ガトー・ジャポネ

Tax 8% 864円　写真は5人前

相変わらずのふわふわスポンジ♡
その上に、軽～い口当たりの
生クリームをたーっぷりトッピング🍰🍰🍰

北海道産の生クリームを
注文してからホイップしてくれるから
フレッシュ感半端ない✨✨
私はこの生クリームを
いつも増量にしちゃいます😊
1人前をプラス50円でやってくれるよ👍
プレートもプラス50円👍

パーティの人数に合わせて
盛り付けてくれるから、
ドーンと豪華になって
もう、盛り上がる、盛り上がる🎉
名古屋を代表する
ショートケーキだなって思う🎂

ジャポネのカップバージョン♪
「ブーケ ガトージャポネ」(702円税込み)
食べやすいし、可愛いし、お手軽。
普段はこれがオススメ♡

— 予算 —
☀ 1500円～
🌙 －

🏠名古屋市千種区丸山町3-83 メナージュマルヤマ1F
☎052-753-0070 🕙10:00～17:00 ※イートインは11:00～
16:30(LO16:00) 🈺月曜(祝日の場合は翌日) 🪑26席 🚭不可
🅿15台 🚇地下鉄東山線覚王山駅④出口より徒歩約15分
Ⓒ不可 Ⓔ不可 不可

ぷるん♡ ぷるん♡ ラブリー

◎ばず
馬鈴 の

月見うさぎ（6 個入り）

Tax 10% 1100円（送料別）

うさぎちゃんの形のわらび餅🐰
ぷるんぷるんで、程よい弾力があって
ほんとに可愛くて、おいしい✌
それもそのはず、
国産最高峰のわらび粉が使われてるんだって。

黒蜜、抹茶、ゆずの3種類の蜜と
きな粉と抹茶の粉末付き😊
いろいろ味変して楽しめるのが嬉しい❣
私のイチオシはゆずの蜜だよ👍

白玉だんごのおいしいお店なんだけど、
お母さんのほっこりした接客で
実家に帰ったみたいに癒されます🖤

お取り寄せできるから、
手土産にしたら喜ばれるね✨

賞味期限が3日あるから、手土産にも

可愛くておいしいなんて、ズルイ!!

きれいな半透明のわらび餅
ゆずの蜜でさっぱりいただくうさぎちゃんが好き

🏠京都府京都市東山区五条橋東6-583-37
☎075-525-0100 🕙10:30〜18:00 休火曜
［お取り寄せ商品の支払方法］
代引のみ

●その他お取り寄せ商品
竹のわらびもち　3ケ入 1100円、6ケ入 2200円／
望月のわらびもち（あん入り）　9ケ入 1100円
各黒蜜・抹茶蜜・ゆず蜜入り

私の神ビスキュイ♪

◎マモン・エ・フィーユ

マモン・エ・フィーユ の

フレンチビスキュイ

[Tax 8%] 2700円（送料別）

神戸のお店、
マモン・エ・フィーユのビスキュイ🍪
フランスの伝統的なレシピで
つくられていて、
発酵バターが香る
王道のおいしさ👀✨

シンプルなんだけど
だからこそ、 おいしいっ✨🖤✨

私のイチオシは
ノーマルなフレンチビスキュイ💕
小麦粉、 卵、 砂糖、 発酵バターのみ！
なのに、 どうしてこんなに美味しい？？？

オンラインでもすぐ完売しちゃうから
見つけたら即買いです！
次はレモンフレーバーのシトロンなど
季節限定品も試してみたい👆

「どうやって詰めたの？」 って思うくらい、
隙間なしっ！

シンプルだから
美味しさが際立つ！

発酵バターの豊かな風味

店名は
フランス語で 「母と娘」

袋と箱を見るだけで
テンションが上がる!!

🏠兵庫県神戸市東灘区御影2-34-20 グレイスリー御影1F
☎078-414-7842 🕐11:00〜18:00 ❌火曜
［お取り寄せ商品の支払方法］
クレジット決済、代引

●その他お取り寄せ商品
デギュステ 2198円／
ポンピドゥー 3360円／
OYATSU 4308円

＃シアワセお取り寄せ

フルーツ大福のオンパレード!!

◎いっしんどう
一心堂 の

旬菓大福詰合せ（10ヶ入）

Tax 8% **4461円**（送料別）※1

ここはとにかく種類が豊富で
一年中おいしいフルーツ大福がある👍
まさにパラダイス✨🌴✨

いちご大福だけでも10種類以上🍓🙊！
柔らかくって存在感あるお餅に
あっさりした白あんのバランスが神ってる🙏

パイナップル🍍、ぶどう🍇も絶品💥💥
食べたときの幸福感は
ここのフルーツ大福が一番好き👑

通販を知るまでは
これを買うだけのために
大阪に通ったこともあるくらい😊

詰め合わせには
その時期の最高のフルーツ大福が
入っていて大満足💕

季節ごとにいちばんおいしい
品種＆産地の新鮮いちごを厳選

旬のフルーツが
もっとおいしくなっちゃう♡

完熟パイナップルが
ジューシーで、
酸味がほどよいアクセント★

国産の大きなピオーネが丸ごと1粒★
爽やかな甘みがお口の中に広がる

🌐 🐦 Ｆ HP

🏠大阪府堺市東区日置荘原寺町19-7
☎072-285-6798 🕘9:00〜17:00 🈲水曜
[お取り寄せ商品の支払方法]
クレジット決済、銀行振込、代引

◉その他お取り寄せ商品
一心ふわどら詰合せ（5個入）1501円、（10個入）
2601円、（15個入）3701円／恵の実（6個入）1404円、
（10個入）2268円（12個入）2808円、（20個入）4536円

※1:内容や価格は季節により変更あり。最新情報はHPをご確認ください。

COLUMN04

nagoya.mの グルメシリーズ

いろんなお店をいっぱい食べ歩いてたら
自分好みにカスタマイズしたくなっちゃった！
私の好きを全部詰め込んだMグルメシリーズ
どれもこれも、とことんこだわり抜いたよ！！
みんなにも、ぜひ食べてほしいっ！！

Mポテト Ⓐ

私の理想どおりのポテト！
ディップはどれも自信作！
ポテトもディップも
8種類以上から選べる♥
何回食べても飽きないよ！
パレット型プレートは
SNS映えして
歩きながらでも食べやすい♪

> フレッシュフルーツと
> お餅との一体感も
> バッチリ！！

Mのフルーツ大福 Ⓐ Ⓑ Ⓒ

D-MARKET（→P115）のおいDフルーツを使った
旬のフルーツ大福は果汁を感じる絶品！
これはかなりおすすめ！

> 自分好みの
> 組み合わせを
> 選べて楽しい♪

Mモチ（ピーナッツもち） Ⓐ Ⓑ Ⓒ

私の記念すべき
Mグルメシリーズ第1作目 ！
中にはジャリっとした食感の
ピーナッツペーストが入っていて
外にはクラッシュナッツを
たーっぷり、まぶしてあります！
新しい名古屋名物に
なったらいいな笑笑

> パッケージも
> いちから全部
> 自分で考えたよ！

スイートポテトをパフェにしちゃった♥
アツアツポテトと冷たいソフトクリームの
相性バツグン！

Ⓐ 大高イオン、Ⓑ 茶屋イオン、Ⓒ 春日井パネルカフェのほかに、イベントなどでも販売します！

まるで魔法のような
新食感

午前中でなくなることも。
予約したほうが安心♪

◎かゑでほんぽ かとうや

かゑで本舗 加東家 の

レアポテト

Tax 8% 300〜400円

裏ごししたサツマイモと🍠
生クリームを練り合わせて
サツマイモの皮の器に盛り、
表面にお砂糖をつけて焼き上げた
老舗和菓子屋さんのお菓子。

キャラメリゼされてジャリっとした表面と
なめらかでクリーミーな中身の
食感の違いが面白い😊
そのへんのスイートポテトと
一緒にしてもらったら困るやつ😌

名古屋市内からはちょっと遠いけど
そこまで行く価値あり🏯
ここにしかない、
まさに唯一無二のレアポテトだから
手みやげにしたらきっと株が上がるよ📈

そして、せっかくお店に
買いに行ったら
ぜひその場で食べてほしい！
表面のキャラメリゼのパリッと感も
中のなめらかな舌触りも
出来立てはやっぱり一味違う😋
もちろん、時間がたってからのも
それはそれでおいしいんだけど、
まずはひとくち
一度は出来立てを味わってほしい👍👍

ちなみに、店内で食べても🆗
女将さんがお茶を出してくれました🍵
こんな心遣いも嬉しいなー💕

クリーミーな スイートポテトを パリッとキャラメリゼ

素朴な見た目と優しい甘さ♡
グラム売りだから1個ずつ値段が違うよ

🏠豊田市足助町本町4-9 ☎0565-62-0168 🕘9:30〜19:00 🈺火曜 🅿なし 🚗猿投グリーンロード力石ICより約16分 ©不可 🅴不可 🅽不可

Gift
#インパクト手みやげ

おしゃれ手みやげの決定版！

手みやげにこれを選んだらセンスの塊！

薄くスライスされた
リンゴがきれいに並べられてる

これをアップルパイだよって渡したら、絶対「えっ？」ってなるよね笑笑

電話でお取り置きして
もらってね

みてよ！この薄さ！

◎しょうかえん
昇花園 の
アントルメカレオポンム
[Tax 8%] 1500円

アントルメカレオポンムとは、
超薄いアップルパイのこと🍎
私は子どものころから
このアップルパイが大好き💕

こんなに四角くて薄いアップルパイ
見たことないよねー••
でも、食べたらちゃんとリンゴで、
ちゃんとアップルパイなんだよ😊✨

薄～いパイはサクサクで
くどさもなく
ひとりで全部食べれちゃうくらい軽い😉☆彡

インパクトあるビジュアルとおいしさは、
手みやげに最適✌
私は必ずこの昇花園
不動のNo.1です✨✨

[住]名古屋市南区三吉町3-22-1 ☎052-611-2287 [営]9:00～20:00 [休]水曜（祝日の場合は営業） [P]4台 [交]名鉄常滑線柴田駅より徒歩約7分 [C]不可 [E]不可 [Q]不可

Gift

#高級手みやげ

シンプル・イズ・ベスト

「レガル・ド・チヒロ」の
クッキー缶を飾る箱もかわいい

高級素材にこだわった
人気のクッキー

シンプルななかにバター感と塩味がたまらん

「レガル」＝「美味しいごちそう」がコンセプト
公式オンラインショップでも買えるよ

◎カフェ タナカ ジェイアール なごやタカシマヤてん
CAFÉ TANAKA
ジェイアール名古屋タカシマヤ店の

ビスキュイ・シンプリシテ

[Tax 8%] 2700円

フランス産高級バターに
上質な国産小麦粉など、
素材の味を活かした
シンプルなクッキーがぎっしり✨
全部同じのが入ってるんだけど
飽きずにずっと食べてられる😍🍪
シンプルだからこそだと思う!

私も大好きなタナカの人気商品✨

私的には、いろんな種類の入った
クッキー缶より絶対こっちがオススメ✌

あと「ビジュー・ド・ショコラテ」もイイ❣
このタナカの２トップは
手みやげにめっちゃピッタリ👍

こっちも外せない

ビジュー・ド・ショコラテ
[Tax 8%] 3078円
※時期により缶の色、
中の種類、価格が異なる。

ショコラでくるんだ
珈琲豆なんだけど、
これもちょっとハマるわぁ💕

[住]名古屋市中村区名駅1-1-4 ジェイアール名古屋タカシマヤB1F ☎052-566-8749 [営]10:00～20:00 [休]施設に準ずる [P]提携あり [交]各線名古屋駅より徒歩約1分 [C]可 [E]QUICPay／manaca／toica [Q]不可

Gift
＃セレブ手みやげ

シアトルセレブの定番ギフト

高級チョコと海塩をまとった
粋な一粒

◎フランズ チョコレート
FRAN' S CHOCOLATES の
ソルトキャラメル

[Tax 8%] 378円

オバマ元大統領の御用達としても知られる
シアトル発祥のチョコレートの名店。

イチオシは２種類のソルトキャラメル🖤
チョコをまとったキャラメルの上に
海塩がちょっとのってる。
口の中でとろけるキャラメルに
そのお塩のしょっぱさが加わって
甘味とのバランスが最高✨
もう本当に大好きがとまらない😍

正直、 価格はちっちゃいのに高い💰😅
でもそれだけの価値ある
高級チョコだと思う。
だからほんとに噛み締めて食べましょう笑笑🙏💕

ミルクチョコのコーティングにウェールズの樫の木の上で燻した海塩をトッピングしたスモークトソルトキャラメル。

ダークチョコでコーティングし、ブルターニュ沖の海塩をトッピングしたグレイソルトキャラメル。

こっちも外せない

アーモンドゴールドバー

[Tax 8%] 756円

ナッツ、 キャラメルを
チョコでコーティング。
アーモンド入りがめちゃくちゃツボ🙏

HP

[住]常滑市セントレア1-1 中部国際空港セントレア FLIGHT OF DREAMS ☎0569-38-7126 [営]土日祝 10:00～18:00 ※営業日は変更の可能性あり [休]平日 [P]7800台 [交]名鉄常滑線・空港線中部国際空港駅直結 [C]可 [E]楽天Edy／iD／QUICPay他 [Q]不可

水の都の夏の風物詩

冷たくてちゅるんとなめらか～

葛にわらび粉を混ぜた
皮の透明感が涼しげ

こし餡は究極のなめらかさ！

涼しそうなガラスの器を選んで、
氷水で冷やしてから食べてね

冷蔵庫に長く入れると「ちゅるん」が味わえなくなるよ！
こし餡、抹茶餡のほかに、月替わりで登場する季節のフルーツ餡が毎回楽しみ♡

デパートの特設会場でも
飛ぶように売れてた

◎きんちょうえんそうほんけ
金蝶園総本家 の

水まんじゅう

Tax 8% 4個 518円

〈販売期間〉4月～9月

オオガキ珈琲水まんじゅう

Tax 8% 4個 561円

〈販売期間〉4月～9月

📍大垣市高屋町1-17
☎0584-75-3300 🕐8:00～18:00 休無休
（年末年始のみ営業時間変更あり） 席12席
予不可 Pなし 交JR東海道本線・樽見鉄
道・養老鉄道大垣駅南口から徒歩約1分
C可 E不可 MPay Pay／d払い／au PAY

水の都大垣の銘菓💕
明治時代からあるって、すごい！

これのおいしい食べ方は、
とにかく常温保存を守ること！
そして食べる前に氷水につける。
なんせ、水まんじゅうだからね😉
で、15分くらい待って、氷水からすくって
ちゅるんと食べるのが絶品✨

15分くらい置かないと
中まで冷たくならないからね！

いろんな味があるけど、全部好き(￣▽￣)♥
オオガキ珈琲にはフレッシュをかけて食べる

#丸ごと桃キター!

ちゅるんとした食感が
なんとも言えない!

衝撃の桃太郎!!

デカ桃がまるごとスイーツになってる!

キング桃太郎
時価 ¥750
中心にカスターど…

市場が近いから、旬のフルーツをふんだんに使ったスイーツがいっぱい♥

こっちも外せない

アップル桃子パイ
〜Wクリーム仕立て〜
Tax 8% 540円

アップルパイとフレッシュな
桃の出合い🍎🍑
季節ごとにフルーツが変わるから、
行くたびに楽しみ!

予 算
☀ 1500円〜
🌙 1500円〜

📷 🐦 f HP

🏠 岐阜市茜部中島2-15 ☎ 058-274-2173 🕙 10:00〜19:00※カフェタイム12:00〜17:00 🈺火、水曜、他不定休 🪑 20席 ☑可 🅿40台 🚃JR岐阜駅より車で南へ約7分 💳可 🈺不可 💰Pay Pay

◎せいようかしこうぼう フランセ ヤノ
西洋菓子工房 フランセ ヤノ の

キング桃太郎

Tax 8% 時価

大きな桃を見るとテンションアップ!!
人気の「まるごと桃太郎」より
ひとまわりサイズの大きい「キング桃太郎」は🍑
大きな桃が入荷した時にだけ作られるみたいで、
プレミアム感ハンパなし!
初めて食べたときに衝撃を受けた!!😍★

周りがゼリーでコーティングしてあるから、
ほんとにちゅるんちゅるん✨✨
タネをくりぬいた芯の部分には
スポンジとカスタードがぎっしり!

お店にない時もあるから、 入荷予定を聞いて
お取り置きしてもらうのがベスト!

このお店には桃のパフェもあるから、
桃好きならパフェも食べれば桃だらけで大満足🍑

パッケージもオシャレだよ！

写真は左上からグレープフルーツ（ルビー）、
パイン、オレンジ、ラフランス、マンゴー

うっとりスイーツ

果物屋さんの
スイーツだから
まちがいない！

◎フルーツのきんぎょや
フルーツの金魚屋 の

手作り生フルーツゼリー

Tax 8% 平均500円

フルーツゼリーってどこにでもあるけど、
ここのゼリーはほんとにフルーツが
ぎゅっと詰まってて、 雑味がなく、
すっきりしてておいしかった

フルーツたっぷり入ってるし
珍しいパッションフルーツもあって、
テンションもあがる！！

ゼリーの中にフルーツが入ってるだけなんだけど、
シンプルに私は好きです！
近所だったら、 普段使いに食べてると思う笑笑

種類もたくさんあるけど、
全部おいしくてちゅるんと食べれちゃう！

フルーツが
ぎゅっと詰まってて
シンプルにおいしい

店の入口は
2つあるからねー

予 算
☀ 1500円〜
🌙 1500円〜

🄸 🄣 🅵 HP

安城市朝日町25-7 ☎0566-75-3311 🕘9:00〜19:30
火曜、年始1/1〜1/2 ℗ 3〜5台 🚉JR東海道本線安城
駅より徒歩約6分 ⓒ可 ⓔpaypay ⓟPay Pay

#丸ごと桃キター!

カップに入っているから食べやすいよ

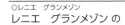

◎レニエ　グランメゾン
レニエ　グランメゾン の

ペシェ・アンティエ

Tax 8% **702円**

もーー、丸ごと桃ちゃん🍑
毎年食べまくってる

桃とカスタードとジュレのマッチが絶品😍
ジュレもおいしーし、中に入ってる
ちょっと濃いめのカスタードも美味!
桃も大きくて大満足🖤
カップに入っているので
食べやすいのも魅力
お皿に取り分けなくても
そのままスプーンで食べれるところがいい!!

ここのまるごと桃さんには
かなりお世話になってます🖤🌷

西区のお店以外に、高島屋デパ地下でも買える
私はいつもデパ地下を利用してまーす♪

桃とカスタードと
ジュレのマッチが最高!

私の定番!
そのまんま
桃

予算
☀ 2500円
🌙 2500円

 🐦 f

🏠名古屋市西区五才美18-2　☎052-502-0288　🕘9:30〜20:00　休月曜　席40席　予可
🅿50台　🚉地下鉄鶴舞線庄内緑地公園駅より徒歩約9分　C可　E不可　●Pay Pay

#フルーツマーケット

ずらっと並ぶフルーツにテンションUP!!

熊本のブランドトマト「うきのトマト」がめっちゃ好き!(627円税込み)

「おいしい」は
みんなを笑顔にしてくれる

選び抜かれたフルーツはどれもおいしい!

◎ディーマーケット にっしんてん
D-MARKET 日進店 の

フルーツ各種

目利き歴15年のイケメン社長が
自ら市場をまわって仕入れるフルーツは
どれも間違いなし👍✨

その中でも私のイチ推しは
遠方からも買いに来るほど、超おいしいトマト😍

厳選された旬のフルーツ以外にも、
レアなつまみやお菓子もあったり、
フルーツの大福やジュースなどもあって、
くだものづくしだよ。

手書きポップや店内放送など楽しさモリモリ♪
普通のスーパーとは違ったステキなスペースで
気持ちよくお買い物ができる!
初めて行って、すぐファンになりました!😊💕

海外のスーパーみたいな雰囲気も楽しい♪

[住]日進市浅田町下小深田33-2 ☎052-875-5825 [営]9:30～18:00 [休]水曜 [P]105台 [交]地下鉄鶴舞線・名鉄豊田線赤池駅より徒歩約18分 [C]不可 [E]不可 [Q]Pay Pay

nagoya.m の リピリピ

#食のワンダーランド

デパ地下グルメ

自分へのちょっとしたご褒美も趣味のいい手みやげも
ワンランク上のグルメが集まるデパ地下は、
食のワンダーランド！
大大大好き過ぎて毎日通いたい笑笑
そんなデパ地下グルメを厳選したよ🌸🌸🌸

バビ
BABBI の
バッビーノ
税抜き **4個入り 1000円**
〈 販売期間 〉11月頃～4月頃
ココで買える Ⓐ 名古屋栄三越 B1

三河産の醤油と白ザラメ
で甘辛に味付けされた
ちょい濃い目のお揚げが
懐かしい味わい😋

チョコレートコーティングの
リッチなウエハース😊
チョコレートがおいしいし、
サイズもちょうどいい👍
種類が多くて迷う幸せ💕

ババロアの上に贅沢に
宮崎マンゴーがゴロっ😻
さっぱりめの
ココナッツミルクとの
相性もピッタリ🌸

つぼや
壺屋 の
稲荷寿し
税抜き **1個 78円**
ココで買える Ⓐ 名古屋栄三越 B1

コウボウヤ
KOBOYA の
宮崎マンゴー＆ババロア
税抜き **1個 800円** 〈 販売期間 〉6月～8月頃
ココで買える Ⓑ ジェイアール名古屋タカシマヤ B2

※税込価格は各店舗にお問い合わせください。

むちむちの食感と
可愛い色合いに惚れた
桜は甘さ控えめ、
蓬は小豆入り
春を待ち遠しくさせる一品

せんたろう
仙太郎 の

桜と蓬のもちひ

[税抜き] 1箱 600円

〈 販売期間 〉3月上旬～4月上旬

[ココで買える] Ⓑ ジェイアール名古屋タカシマヤ B1
Ⓒ 松坂屋名古屋店 本館B1

サックサクのサブレを
ミルクチョコでコーティング
ナッツのアクセントも
冷やして食べてね！

ヴィタメール
ヴィタメール の

マカダミア・ショコラ(ミルク)

[税抜き] 5個入り 630円

[ココで買える] Ⓑ ジェイアール名古屋タカシマヤ B1
Ⓒ 松坂屋名古屋店 本館B1

ミルキーで舌の上で
とろける～
ホントに濃厚
贅沢なごちそうプリン

じいちろう
治一郎 の

治一郎のプリン

[税抜き] 1個 350円

[ココで買える] Ⓒ 松坂屋名古屋店 本館B1

ココで買える

なごやさかえみつこし
Ⓐ 名古屋栄三越

[住]名古屋市中区栄3-5-1
☎052-252-1111 [営]10:00～20:00
[休]無休 [交] 地下鉄東山線・名城線栄駅、名鉄瀬戸線栄町駅直結

ジェイアールなごやタカシマヤ
Ⓑ ジェイアール名古屋タカシマヤ

[住]名古屋市中村区名駅1-1-4
☎052-566-1101 [営]10:00～20:00
[休]不定休 [交]各線名古屋駅すぐ

まつざかやなごやてん
Ⓒ 松坂屋名古屋店

[住]名古屋市中区栄3-16-1
☎052-251-1111 [営]10:00～20:00
[休]無休 [交] 地下鉄名城線矢場町駅⑤⑥出口直結、または地下鉄東山線・名城線栄駅、名鉄瀬戸線栄町駅より徒歩約5分

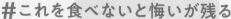

ｎａｇｏｙａ.ｍの

最後の晩餐
（ばんさん）

※写真はMサイズ
写真提供：日本マクドナルド

日本マクドナルドHP https://www.mcdonalds.co.jp/
Ⓒ可 ※各種電子マネー、クレジット（一部店舗ではご利用
いただけない場合がございます）

幼い頃から慣れ親しんだ
私の原点ともいえる味に、
いろいろ食べ歩くようになってから知った
贅沢な大人メニューまで。
「死ぬ前にこれだけは食べておきたい！」
っていう料理はこれ！

マクドナルド

マクドナルド の

マックフライポテト®

[Tax8%] [Tax10%] Sサイズ150円
[Tax8%] [Tax10%] Mサイズ280円

※表記は税込価格となり、「店内でのお食事」と
「お持ち帰り（ドライブスルー含む）」でどちらも
同一の税込価格です。（税抜価格は異なります）

マックのポテト🍟が
もうメチャクチャ好きすぎて、
1週間食べないと食べたくなって、
10日間食べないと禁断症状が出る！

期間限定のフレーバーも好きだけど
やっぱりこのノーマルポテトが一番好き😊

揚げたてのマックポテトに
勝るポテトはない！
Mサイズが私にちょうどイイ😊

まんグループ やきにく あんまん

萬グループ 焼肉 安萬 の

ローストビーフ（→p8で紹介）

バターがしっかり利いた
濃厚ソースがたまらなく美味しい💕

本格的な洋食店の味にも負けない！
ご飯との相性もバッチリ🍚

やっぱり美味しいお肉には
美味しいソースが欠かせないよね🍖

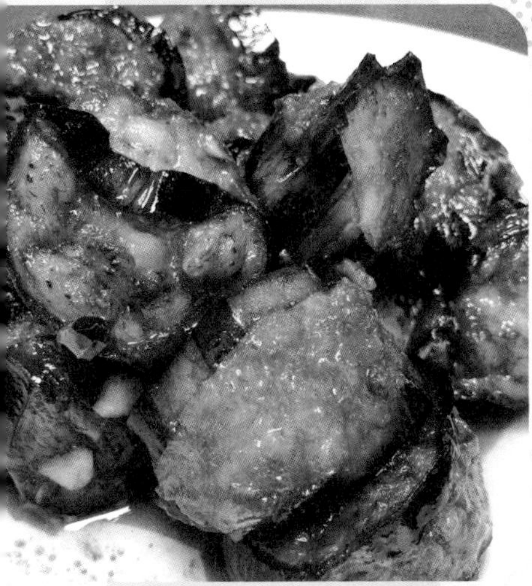

かえん
嘉苑 の

ナスミンチ

[Tax10%] 880円

小学生の頃から通い続けている
嘉苑の大好きな一品💕

美味しさが体に染みこんでいるから、
「これを食べるためだけでも、店に行きたい！」
と定期的に欲望が込み上げてくる笑笑

[住]名古屋市名東区神里1-31 不二ビル1F
☎052-702-0338 [営]11:30〜14:00、17:30〜翌1:00 ※日曜は17:00〜22:00 [休]水曜 [席]22席
[P]あり [交]地下鉄東山線一社駅より徒歩約16分

てっぱんやき まどい
鉄板焼き 団居 の

En China

[Tax10%] 2万5300円〜
※サービス料別10%

※「En China」はフカヒレが含まれるコースの価格です。
※フカヒレを含んでいないコースでも、追加料金で変更可能の場合があります。詳しくは店にお問い合わせください。

コースの中の一品なんだけど
鉄板で焼いて食べる
唯一無二のフカヒレ✨

値が張るから簡単には食べられないけど、
これのために頑張ろう！って思える特別なメニュー

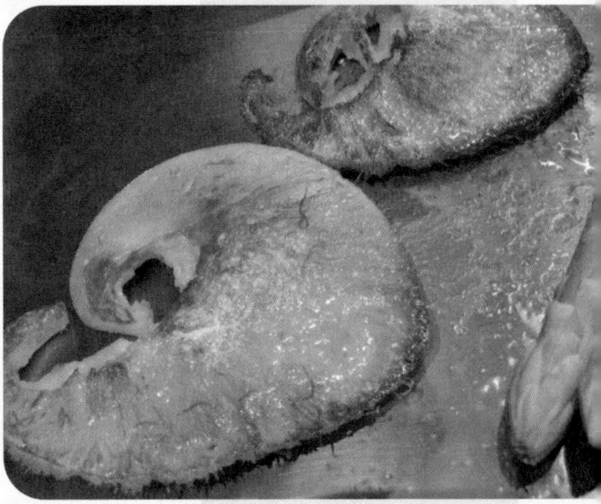

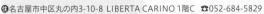

[住]名古屋市中区丸の内3-10-8 LIBERTA CARINO 1階C ☎052-684-5829
[営]17:00〜24:00 [休]日曜、祝日 [席]15席 [予]要予約 ※当日は不可
[P]近隣にコインパーキングあり [交]地下鉄名城線・桜通線久屋大通駅①出口より徒歩約6分 [C]可 [E]Pay Pay [Q]Pay Pay

一度も冷凍していない
本物の熟成生タン！

バチバチニンニクと最強コスパ

※写真は4人前

ガチリピ！

人気過ぎで数量限定！

フォロワーさんに大好評

◎やきにくホルモンざくろ かすがいてん
焼肉ホルモンざくろ 春日井店 の

熟成生タン

[Tax 10%] 858円

刻んだニンニクが
生タンの下にたっぷりで、
それを焼いたタンにのせて食べるの!
絶品だよ✨✨👏
この値段でこの生タンが食べられるのは
うれしすぎ😋🖤
超人気で売り切れちゃうから
グループの人数によって頼める数が決まってるよ!

私的頼むべきもの発表🎉!
★生タン
★釜炊きご飯
★ざくろカルビ
★ざくろロース
★キャベツ
★たまごスープ

あ★　ご飯は少し時間がかかるから
座ったらすぐに頼むべし👍
お座敷掘りごたつタイプの席もあって
小さな子ども連れでもお年寄りでも
すごく使いやすい❣
まじで地元にほしい❣

こっちも外せない

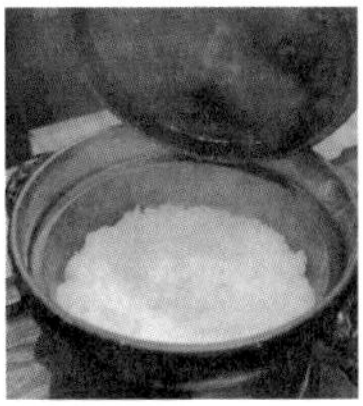

こだわり 釜炊きご飯

[Tax 10%] 748円

その日の分だけ精米し、
注文を受けてから
特製釜で炊き上げるから
ツヤッツヤ🍚

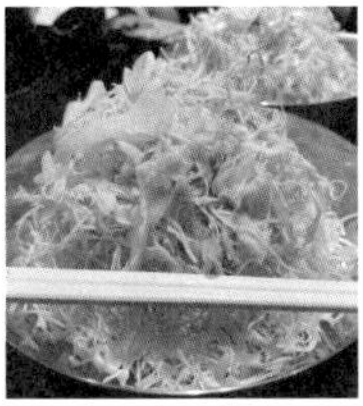

千切りキャベツ

[Tax 10%] 110円

千切りキャベツも山盛りで、
なんと110円👏
箸休めに欠かせない💕

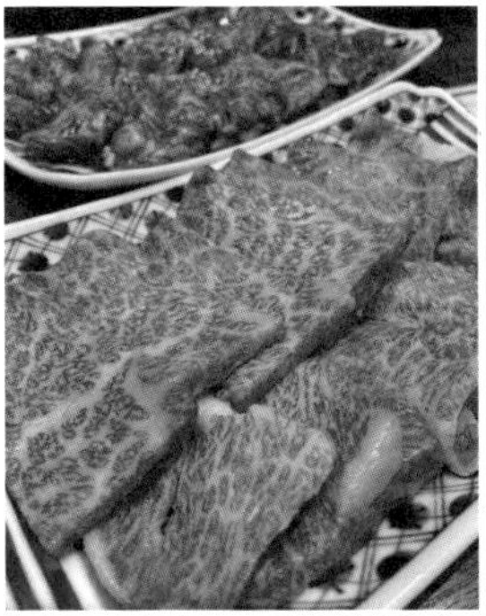

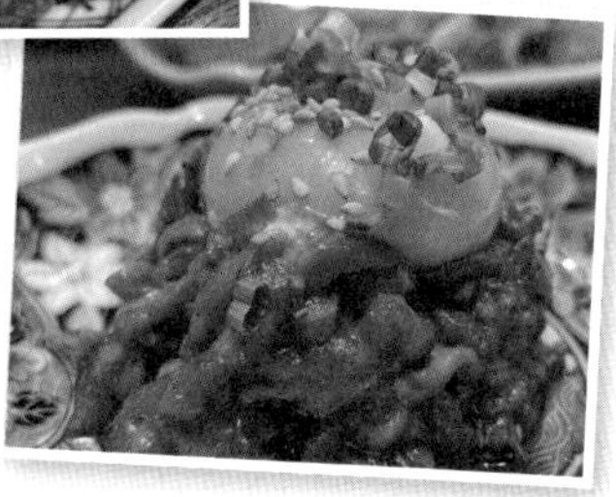

牛ユッケやロースも
おいしくて安い!
もう最高!

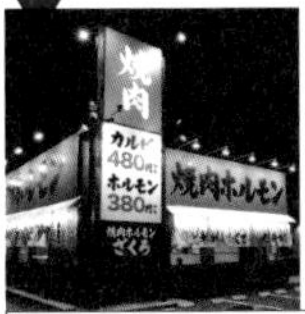

予算
☀ 2000円～
☾ 2000円～

[HP]

[住]春日井市西山町3-15-1 ☎0568-37-1533 [営]17:00～23:00※土日祝は11:30～23:00 [休]無休(12/31～1/1のみ) [席]88席 [予]可 [P]40台 [交]春日井市民病院から東へ車で約2分、徒歩約5分 [C]可 [E]不可 [Q]Pay Pay

ごま油でしゃぶしゃぶ！
初体験の味

これで 850 円とか、
コスパ最強すぎ！

お好みで、しっかりしゃぶしゃぶするも良し
ごま油をまとったレバーは初体験！
近所だったら超嬉しいコスパ最強の焼肉屋さん

◎やきにく ののうし
焼肉 のの牛 の

新鮮レバーしゃぶしゃぶ

Tax 10% 850円

煮立ったごま油でレバーをしゃぶしゃぶ‥
私はやっぱり、
サッとくぐらせるだけが好き🖤

あとはなんといっても、とにかく安い！
新鮮で上質なハラミが 750 円😋
カルビ、ロース、ハラミの 3 種盛り 1900 円も
すごくお得でオススメ👍✨

元和食屋さんの店長なだけあって、
タレにこだわっててほんとにおいしかった🖤

新鮮なレバーを…
グツグツのごま油に in

表面の色が
変わったら
食べごろ

━━ 予算 ━━
☀ ―
🌙 3000円〜

📷 🐦 f HP

🏠一宮市西出町53-2 西出ハイツ102 ☎0586-52-6546
🕐17:00~24:00(LO23:30) 🈳水曜 🪑20席 予可 Ｐ8
台(共用) 🚃名鉄尾西線西一宮駅より徒歩約13分 🈪可
🈲不可 💳Pay Pay／LINE Pay

こっちも外せない

♪♪
ホルモン
Tax 10% 1300 円

一本のままで出てくる！
長い長い！
ハサミでチョキチョキ！
楽し〜🖤

ホテル中華が神コスパ！

ここのフカヒレが、
めっちゃ好き

肉厚なフカヒレ！
繊維が一本一本きれいでしっかりしてる

月替わりだから
当然毎月通うよね

◎らいか チャイニーズ レストラン
來杏 Chinese Restaurant の

月替わりコース

Tax 10% 6600円〜

フカヒレ姿煮に、 北京ダックに、
こんな豪華な前菜もついて
この値段！ ほんとに破格😆

本場気仙沼のヨシキリザメのフカヒレは、
繊維の太さも食感も味も、 申し分なし👍
背ヒレと尾ヒレのコースがあって、
私はいつも尾ヒレを食べる❤
食べ比べコースもあるよ👌

北京ダックは全部削いで薄い皮のみ…
ではないんだけど、 そこがよき😍
甜麺醬らしいしっかりめの味付けで、
そこもよき😍
まとめると、 つまり
ここの北京ダックが好き😊👍

北京ダックは
1本ずつ頼める

こっちも外せない

フカヒレ姿煮込みラーメン

Tax 10%
ランチタイム 2600 円
ディナータイム 2800 円

いつもプラス料金で尾ヒレに変更❤
ちょっと濃い目のスープが絡む絡む👍

予 算
☀ 950〜
🌙 2000〜

🏠名古屋市中村区名駅4-24-8 いちご名古屋
ビルB1 ☎052-571-2278 🕚11:30〜14:30
(LO14:00)、17:30〜22:00 (LO21:30)
🈺日曜、祝日 💺可56席 予可 🅿近隣にコイン
パーキングあり 🚃各線名古屋駅⑦出口より
徒歩約5分 🄲可 E不可 🅿Pay Pay

123

この鶏ちゃん焼きは
想像を遥かに
超えている

具を継ぎ足していくと
味が変わってくるよ

シメの麺が入る頃には、
究極のおいしさ！

◎ひだ・けいちゃん とりや
飛騨・鶏ちゃん とり屋 の

名物 鶏ちゃん

[Tax 10%] 530円

数年前に知り合いに教えてもらったお店で、
最初鶏ちゃん焼きって、 味全部一緒じゃない?
って思いながら半信半疑で行ったの

でも全然ちがって、 まじでおいしい🖤
わたしの知ってる鶏ちゃん焼きではない!
これはもう本当にやばい✨

食べ方がおもしろくて、
少しずつ追加していくの。
私は最初はノーマルにニラトッピング。
次にニラとしめじトッピング。
そしたら旨味が出てどんどんおいしくなーる😍
トッピングとかもいろいろ選べるし、
美人ママも食べ方を教えてくれるよ🖤
そして最後は麺でシメ!
シメの麺がまた
バチバチにうまいんよ(￣▽￣)💕

ニンニクと唐辛子をめっちゃ入れると、
味がバチッと決まっておいしさハンパない👍

アットホームでほんとにママが美人で
い一感じのお店。
ただいまーって言いたくなるような雰囲気だよ😆
ぜひ一度は食べてみてほしいお店です✨

ナニ、コレ?
旨みが倍増してる〜

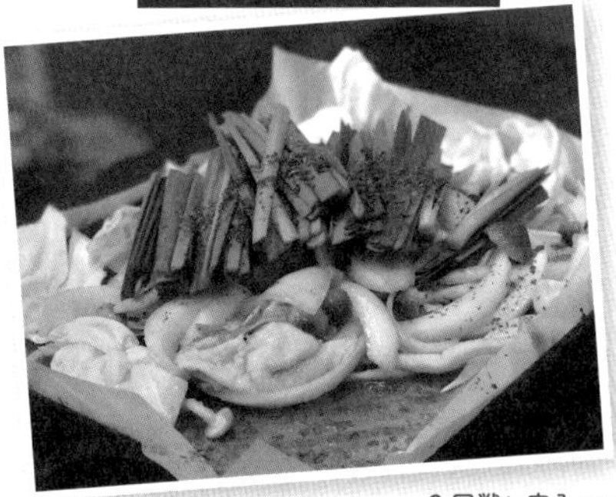

2 回戦に突入〜〜

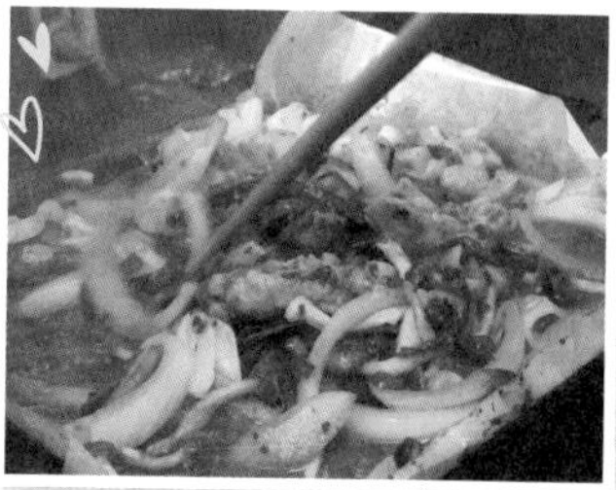

旨みが倍増していくのよね

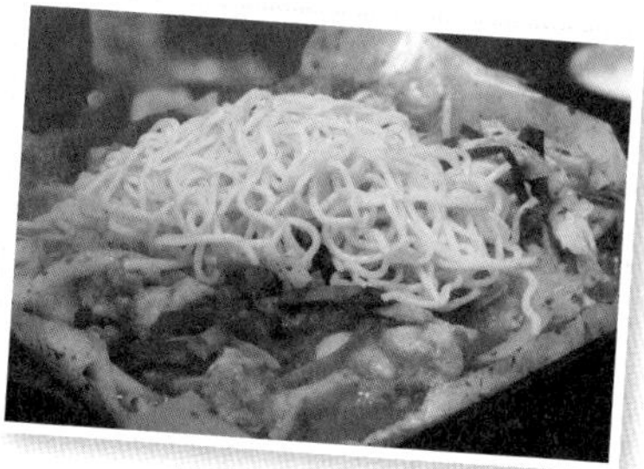

そして、最後は麺でシメれば完璧!

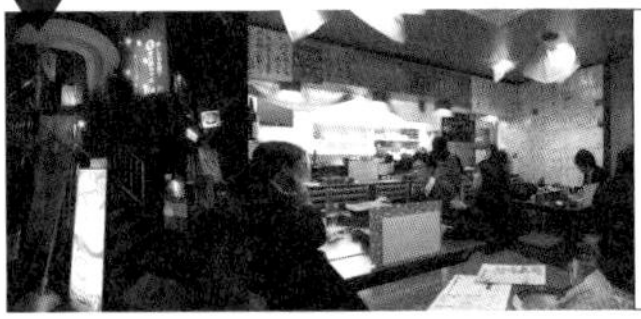

[住]名古屋市西区城西5-18-13 第5和興ビル2F
☎052-523-2432 [営]水〜土曜18:00〜23:00(LO22:00) ※日祝は17:30〜23:00(LO22:00) [休]月曜、火曜 [席]25席 [予]可
[P]2台 [交]地下鉄鶴舞線浄心駅①出口より徒歩約6分 [C]可 [E]Pay Pay [Q]Pay Pay

予算
☀ –
☾ 2500円〜

Good cheap

#大衆ガツ飯

◎じらいてい
じらい亭 の

台湾もやし炒め麺入り（辛さ増し）

[Tax 10%] 800円

もう好きすぎて、すでに中毒です♥
まじでおいしい!
台湾もやし炒め麺入り!!
しばらく食べないとロスになりそうなくらい笑笑

もやし炒めって、他のお店でもあるし、
有名店もあるけど、ここのこれはもうヤバい!✨

そしてこれの最高のパートナーが
ニンニク入りチャーハン!
チャーハンにもやし炒めを載せて、
一緒にお口の中へ
これはうまくてヤバすぎる✌

このコンビで食べるとお腹いっぱい!
満足感もいっぱいで、もう最高😍

お店の大将は、一見怖いかな?ってゆー感じだけど、
真面目なシャイボーイだから話かけてあげて笑笑

ガツ飯大好きメンズには絶対食べてほしいし、
ガツ飯女子だって口臭を気にせず食べてほしい!

でも食べるなら、チューしない日にしよーね💋

チャーハンとのコンビが
最高の食べ方

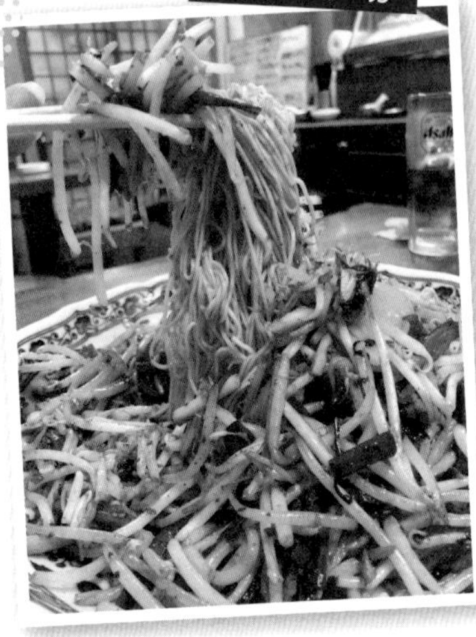

出てきたときはもやししか見えない笑笑
でも、ちゃんと中には麺が入ってま〜す

こっちも外せない

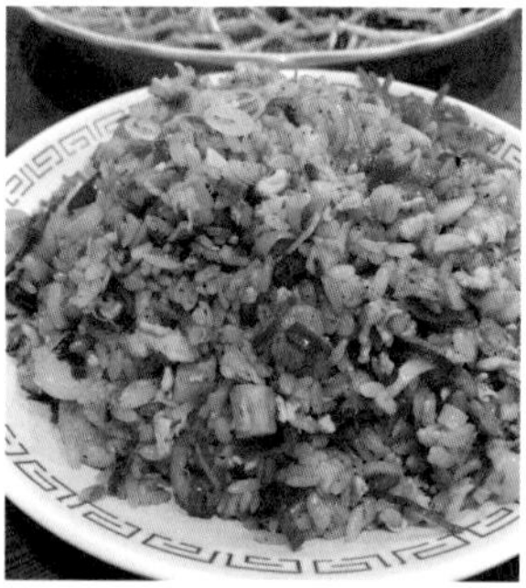

チャーハン（ニンニク入り）

[Tax 10%] 700円

ニンニクたっぷりでクセになるおいしさ

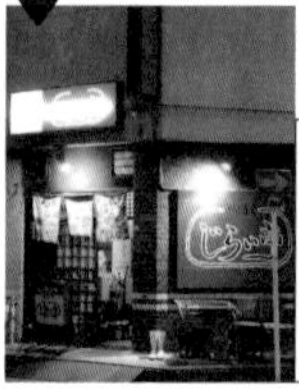

予算
☀ —
☾ 3500円~

[住]名古屋市西区花の木1-9-13 プレジデント浄心1F ☎052-524-0498 [営]月〜土曜17:30〜23:00 [休]日曜、隔週月曜 [席]20席 [予]可 [P]なし [交]地下鉄鶴舞線浅間町駅より徒歩約3分 [C]不可 [E]Pay Pay [Q]Pay Pay

口臭覚悟で
食べ尽くせ！

辛さを増すのが私流

もやしの下に麺が隠れてる

お店の大将のこだわりが
とにかく凄い！

お刺身はどれも新鮮でキラキラ！

◎いっちょらい

魚! 魚っ! いっちょらい の

刺盛 (1人前) ※写真は2人前

Tax 10% 1375円

「刺身が美味しくなかったらお代はいらん！」
お店の前にそんな看板があるほど、
お魚のおいしいお店🐟

ほんとーにお刺身が美味しい！
シャキッとしたお刺身ばかりで、
臭みが少しもなくて、 まじで好き♥

お醤油も自家製というくらい、
大将のこだわりがつまっている。

料理はほとんどセルフのシステムで、
ショーケースにいろんなものが入ってて、
自分で自由にとってきて、
焼き台で自分で焼いて食べるの！
素材がそのまんまおいしく食べれるのがうれしー

煮付けや名物のメンチカツもおすすめ👍

「旨さに自信あり！」の
看板に偽りなし！

予算

☀ 1250円～

🌙 3500円～

🏠 名古屋市中区錦2-16-10 GS第2伏見ビル1F
☎ 052-231-2337　🕛 12:00～14:00(LO13:30)、16:00
～24:00(LO23:30)　🈺 日曜(祝日の場合は翌日)　🪑 34席
🚭 可　🅿 なし　🚇 地下鉄東山線・鶴舞線伏見駅①出口より徒
歩約1分　🅲 可　🅴 不可　🅜 不可

こっちも
外せない

焼き物

Tax 10% 385円

ショーケースから自分で出して焼いて
食べるの～
タコを網の上に載せて、 タコ焼き!?

3品トリオが奏でる
激うまハーモニー

安くて味のクオリティも最高!

この3品が安くて
おいしくって最強! ♪♪

◎やきにく だいまつや なやばしてん
焼肉 大松屋 納屋橋店 の

ハラミ刺 [Tax 10%] 946円

名物 大松屋ロース 薄切り

[Tax 10%] 1485円

絶品 青唐ねぎめし [Tax 10%] 528円

― 予 算 ―

☀ ―

🌙 4000円~

Ⓘ 🐦 f HP

📍

🅰名古屋市中村区名駅南1-3-16
☎052-211-8636 🕐17:00~23:00
(LO22:30) 🈺不定休 🪑64席 予可
🅿なし Ⓜ地下鉄東山線伏見駅⑦出口
より徒歩約7分 💳可 💰Pay Pay 💰Pay
Pay

安くておいしいから大好きなお店!
イチ押しなのがハラミ刺し😍💕
もーこれは私の中で大松屋の不動のNo.1 ✨
ここでしか食べれないおいしさで、
味のクオリティ最高✨👍

お肉は厚切り、薄切り
それぞれ好みがあると思うけど、
やっぱり名物のロース薄切りがおすすめ!
そして私が愛する青唐ねぎめし。
辛いの大丈夫だったら絶対食べてほしい!!
お肉に合うし、まじうまい!😍

この3品が私のおすすめの組み合わせ🫶

釜炊きご飯は出来上がるのに時間がかかるから、
お店についたらすぐ注文するといいよ。

納屋橋店の2階限定
『セルフ飲み放題』はお得だよ👍

カロリー気にしなくてOK！
女子向けの安心メニュー

野菜と豚肉のコラボで
ジューシー＆ヘルシー！

◎きゅうしゅうりょうり こしつ はかたはなぐし さかえにしきてん
九州料理 個室 博多花串 栄錦店 の

野菜巻き串
[Tax 10%] 220円〜528円

いろんな野菜を豚バラ肉で巻いた
野菜巻き串はこのお店の看板メニュー！
お肉と野菜が合わさってヘルシー👍

レタスなんかシャキッとした
食感が残ってて
お肉と一緒に食べると旨
シャキシャキ✨

甘辛タレのすき焼き串を
卵につけて食べたら
串1本で本当にすき焼きみたい！

他にもつ鍋や、
天使の白いカレーうどんとか
おいしい料理がいっぱいあるけど、
胡麻かんぱちが私のイチ押し🍴
この食感がほんとに好きで、
絶対頼む一品✨

いつも新しいメニューを考えてるから
これからも目が離せない••

シャキッとした
食感に旨みが
プラス

─ 予算 ─
☀ 　　—
🌙 3000円〜

📍名古屋市中区錦3-12-25 サミットビル2F ☎052-957-5539 🕐月〜金曜17:00〜29:00 ※土・日曜は16:00〜29:00 🈺不定休 🪑56席 🅿可 Ⓟなし
🚃地下鉄東山線・名城線栄駅、名鉄瀬戸線栄町駅①出口より徒歩約5分 🅒可 🅔不可 Ⓝ不可

博多もつ鍋（ノーマル）
[Tax 10%] 1595円

ぷりぷりのもつが
てんこ盛り、ニラもドーン！

胡麻かんぱち
[Tax 10%] 869円

特製ダレが
いい味出してるのよ😊

こっちも
外せない

昔ながらの味に ゾッコン！

懐かしさを感じる

バター感がたまらない

めっちゃシンプルだけどこのタイプが大好き！

◎レストランかどや

レストラン角家 の

オムライス

Tax 10% 680円

ちょっとボリューミーなオムライス。
今どきのぱっかーん系のふわふわ卵じゃなく、
昔ながらの薄焼きたまごに
しっかりチキンライスが巻かれたタイプ。
これがまたうまい！🖤

中のケチャップライスがしっとりしてて、
シンプルにバターきいててうまいーーー
このバター感がとってもいい✨
このオムライス好きだわぁ😻
めちゃくちゃ私のタイプ！

とにかくこのお店は定食メニューが豊富📖
こんなにあるの？ってくらいありすぎて、
全部制覇したいくらい！
お店の雰囲気も最高で、
実家に帰ったようなアットホーム感が
すごくいい感じ😻

予算

☀ 600円〜

🌙 1000円〜

📷 🐦 f HP

📍 名古屋市西区児玉1-8-12 ☎052-521-
6331 🕙11:30〜14:00、17:30〜22:00 休日
曜（祝日の場合は営業）席48席 予可 P9台
🚇地下鉄鶴舞線浄心駅⑤出口より徒歩約5分
C不可 E不可 Q不可

こっちも外せない

スタミナ定食

Tax 10% 900円

野菜と豚肉の炒め物で、味噌味だけど
ソース系も入った絶妙な味付け!!

＃王道の大衆中華

パラパラ、トゥルッ この食感がサイコー！

塩味がしっかりきいた 好みの味

↳ ご飯の食感がめちゃくちゃ好み！

◎チャーハンじじい

チャーハンじじい の

チャーハンじじい炒飯

Tax 10% 748円

店構えと名前とド派手な看板からして
色んな期待で胸膨らむ笑笑**

ここの炒飯、 めちゃ私好み！ 笑笑
炒め方に秘密があるのかな？
お米🍚の食感がドストライク👍
油でコーティングされたような
パラパラ感と
油分のトゥルッとした感覚があって
どことなくモチっともしてる笑笑😋

塩味がちゃんときいてて、 おいしい👑
ニンニク炒飯も
クセになるようなおいしさ！ 笑笑
土日は順番待ちの
列ができることもあるから予約がいいよ

お店のオススメ浜松餃子も
今度食べてみよっと😊

――― 予算 ―――
☀ 792円～
🌙 1000円～

📷 🐦 f Ⓗ🅟

🏠名古屋市港区入場2-411 ☎052-381-8777 🕚11:00
～14:30、17:00～23:00 📅2021年は無休 💺69席 🚭不可
🅿16台 🚃荒子川公園駅より徒歩約14分 💳不可
Ⓔ不可 🅿Pay Pay

こっちも外せない

四川風キュウリ
Tax 10% 396 円

タレがめっっちゃうまい！😍
炒飯にかけて食べると
バツグン！👏👏

かわいくて食べる前から楽しい！

地元の食材を使ったかわいすぎる手巻き寿司

いろいろな具材がとっても華やか！

◎みさい
三彩 の

桑名の浅草海苔に地元産のお米で
旬食材約20種の手巻き寿司

『つつみ』（限定10食）

[Tax 10%] 2500円

予算
☀ 1500円〜
🌙 4000円〜

📍 🅾 Instagram 🐦 f HP

🏠桑名市北鍋屋町75 ☎050-5487-5631 🕐11:00〜14:00(LO13:30)、17:30〜21:30 休火曜、他不定休 席26席 🚭可 🅿11台 🚃近鉄名古屋線益生駅より徒歩約15分 💳不可 💰Pay Pay 💰Pay Pay

かわいすぎる手巻き寿司💕😻
ランチだけの限定メニューで、
これだけお目当てに行く価値あり😆

いろいろなおかずがちょっとずつ並んでて、
自分の好きな組み合わせで手巻きができる！
20種類もあるから、
選んだり迷ったりする楽しさがいい😄✨

そのまま食べてもいーし、
海苔をご飯に巻いてもよしで、
楽しみながら食べられる🍙🍙
もう女子ウケまちがいなし！

店主さんやスタッフさんもとっても気さくで
対応も良くて癒されました😊🙏

Lunch

#肉 LOVE ランチ

私のTボーン史上最強コスパ!!

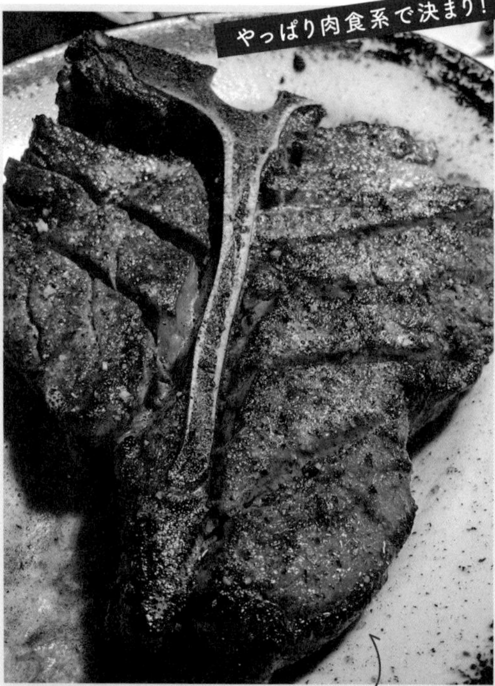

やっぱり肉食系で決まり!

ランチタイムなら豪快でワイルドな
Tボーンステーキがめっちゃお得!

◎ビストロ ステーキティーボーン
BISTRO STEAK T-bone の

T-bone ステーキランチ
(約2〜3人前)

[Tax 10%] 5500円

この値段でTボーンが食べられるお店は、
なかなかない・・👍

特にお得なのがランチ🍴
厚みのあるステーキはボリューム満点!
サラダもドリンクもおいしー
ライスはおかわり自由だから、お腹も満足♥

2〜3人前のTボーンステーキを
2人でシェアして、
1人前400円のサラダバーと
ドリンクバーをプラスすれば
なんと1人3000円くらいでOK ✨✨

お値打ちなのに雰囲気もメチャいいから
ずっとお気に入りのお店。
記念日などのお祝いには、
メッセージを書いた記念日プレートを
つくってもらえるよ😊

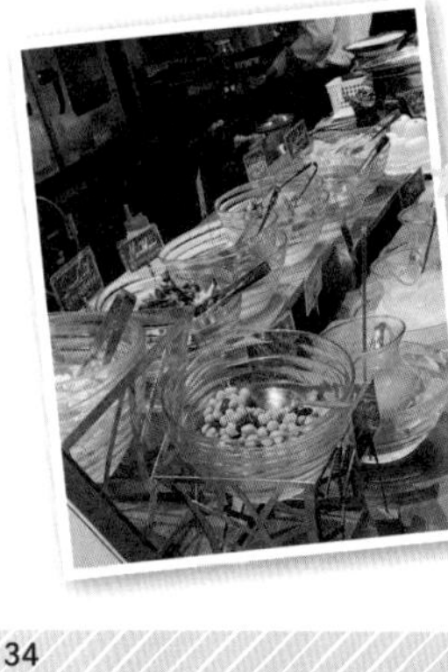

サラダバーも
おいしいよ
カレーもうまい!

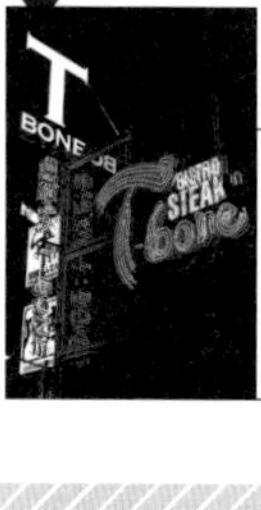

予算
☀ 1760円〜
☾ 4000円〜

[住]名古屋市中村区名駅3-13-18 2F ☎052-433-1929 [営]11:30〜15:00(LO14:30)、17:00〜23:00(フードLO 22:00、ドリンクLO22:30) [休]無休(12/31〜1/1のみ) [席]80席 [予]可 [P]なし [交]各線名古屋駅③出口より徒歩約1分 [C]可 [E]不可 [Q]不可

こんなクオリティ&コスパあり?
揚げたての串揚げに感激!!

衣のつき加減が、絶妙!
タレにも超こだわってる!

薄めの衣が素材の味を
しっかり感じさせてくれる

揚げたての上に、
トッピングいろいろ〜

◎くしあげどころ ガク
串揚げ処 gaku の
ランチ デラックス定食

Tax 10% 1450円

中村区役所駅からすぐのお店だけど、
ここのランチ、めっちゃくちゃよかった🖤

なんといってもデラックス定食推し!
10 本の串揚げが出てきて、
それもカウンターで1本1本揚げてくれる😋
このクォリティで 1450 円ぽっきり!!

他の串揚げ屋さんなら 3000 円はすると思うけど、
これはまじでお値打ちっっ✨安すぎー👏👏

衣は薄めでちょうどいい感じ
1品 1品しっかり大きさもあって、おいしい!!
メニューは日によって変わるみたいです😌

付けダレも自家製ソースや塩、味噌など
かなりこだわっていて、
串揚げのおいしさを引き立ててくれる!

明太子ナスがめちゃ
おいしかった!半分
衣ついてて半分素
揚げが絶妙!

予 算
☀ 850円〜
🌙 2600円〜

🏠名古屋市中村区太閤通4-7 上垣内ビル
☎052-481-1199 🕚11:30〜14:00、17:00
〜22:00(最終入店21:00、LO21:30) 🈺日
曜、火曜夜 💺6席 ⚠要予約 🅿なし 🚇地下
鉄桜通線中村区役所駅①出口すぐ 💳不可
💴不可 ／Pay Pay／d払い／ALI Pay他

Noodles
#ツヤツヤ麺

すだちトッピングはマスト！

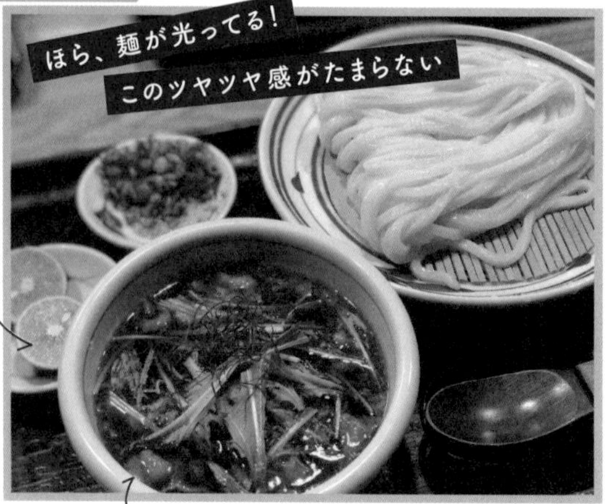
ほら、麺が光ってる！
このツヤツヤ感がたまらない

肉汁と麺のバランスが素晴らしい！

こっちも外せない

かしわ天婦羅

[Tax 10%] 3ケ420円
5ケ700円

ここに来て頼まない人はいない？
それほど絶対のかしわ天👀
夜限定の天ぷらとうどんのコースを
始めたんだって！
食べてみたーい！

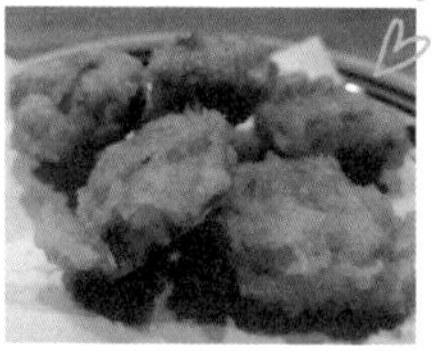

誰もが知ってる有名店の私の激推しはコレ!!

◎てうちうどん かとう
手打うどん かとう の

肉汁つけうどん

[Tax 10%] 1180円

ここは人気店すぎていつも並んでる～😅
ここの麺のよさが味わえるのは、冷たい麺✨
ツヤッツヤ麺はこだわりの絶品でほんとうに美味🖤

私はここに来たら呪文言います🙏
「肉汁つけうどん冷たいやつすだちトッピングかしわ天」
もうこれが大好きでこれしか頼まない笑笑

冷たい麺にあったか～いつけ肉汁、これがおススメー！
そしてすだちトッピングは絶対👊👊！

まずはそのまま食べてから、
すだち半分を麺に絞り、半分を汁に絞る
絞ったあと両方とも汁にドボン！
これが私的おいしい食べ方です♪

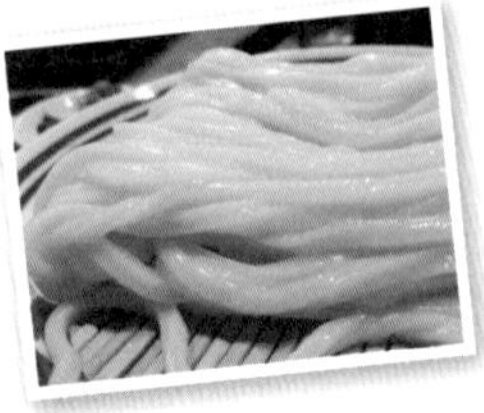

見て見て！
この麺の輝きを！
キラキラ
ツヤツヤ

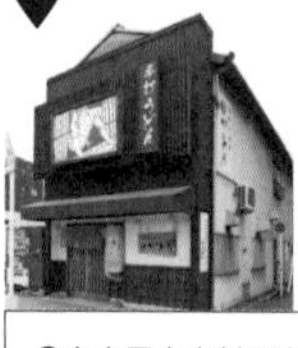

予算
☀ 1000円～
☾ 1000円～

[住]名古屋市中村区太閤通3-26 ☎052-485-9058
[営]11:00～14:00、17:30～21:00※麺が無くなり次第終了 [休]火曜、他不定休 [席]20席 [予]不可 [P]なし
[交]地下鉄桜通線中村区役所駅③出口より徒歩約1分 [C]不可 [E]不可 [Q]不可

贅沢に
お蕎麦を味わってみました！

◎こしきそば げんすい
古式蕎麦 玄水 の

せいろそば

Tax 10% 1320円

カウンターだけの高級感ある店内。
ここで食べるお蕎麦は絶品😍✨
伊吹在来種、丸岡在来種、椎葉在来種など
何種類かのおそばがあって、どれも美味しい!!

あんまりお蕎麦は詳しくないけど、
食べ比べると食感や香りが全然ちがう😍
贅沢に楽しめます😄👍

お友達とかと行ったら違う種類をたのんで、
シェアして味の違いを楽しむのがおすすめ!

私の激推しは鴨汁!!
コクがあってすごくすごく美味しかった🖤
また食べたい!

やっぱり本格的なお蕎麦は塩で食べても
しっかり美味しいことを知りました。
美味しい食べ方も知って、大満足でーす😌👍

いろいろ食べ比べ
ると、おそばの特
徴がよーくわかる！

4〜6品種の
中から好みの
蕎麦を選べるよ

毎回違うそばが食べられるから、
通って全種制覇したくなる

予算

☀ 2000円〜

🌙 5000円〜

📷 🐦 f HP

🏠名古屋市中区錦3-11-15 錦101ビル1F　☎052-253-
6350　🕐11:30〜14:00※昼会計は現金のみ、17:30〜22:00
(LO21:00)　🚫日曜、第2・4月曜、年始1/1〜1/5　🪑9席　🚭可
🅿なし　🚇地下鉄東山線・名城線栄駅、名鉄瀬戸線栄町駅①出
口より徒歩約6分　💳夜のみ可　Ⓔ不可　不可

蕎麦って、こんなに奥が深いんだ！

137

#名店の隠れメニュー

「もつうどん」じゃなくて
「もつ鍋」推し!!

珍しい赤味噌のもつ鍋

もつ鍋は味噌煮込みうどんと違ってコンロにのってるから、シメのうどんを好みの硬さに煮込めるの

老舗の底力

◎やまもとやほんてん さかえほんまちどおりてん
山本屋本店 栄本町通店 の

味噌もつ鍋 ※2人前より

Tax 10% 2090円

一部の山本屋本店でしか注文できない
限定メニュー「牛ホルモンもつ鍋」!!

うどん屋さんのもつ鍋とあなどることなかれ‥
国産牛のもつが大きくてプリプリ💕
定番の赤味噌のスープにニンニクが利いていて
そこに唐辛子も入れちゃう、
ここにしかないスペシャルなもつ鍋😎✨

シメはもちろんうどんで!
味噌煮込みと同じうどんが登場✨

山本屋本店のダシ、ほんとにおいしい😊💕
自分好みの硬さに煮込んで至福のランチになりました🙏
おうどんは柔らかめに煮込みたい派なの笑笑

予算

☀ 1400円〜

🌙 2000円〜

🏠名古屋市中区栄2-14-5 山本屋本店栄ビル1F
☎052-201-4082 🕐11:00〜翌2:00(LO 1:30)
※ランチは平日・月〜金曜11:00〜15:00 🈑無休
🈵55席 🈟可 🅿なし 🚇地下鉄東山線・鶴舞線
伏見駅⑤出口より徒歩約7分 🈦可 💳楽天Edy
/iD／nanaco他 🈲不可

小さな名店

本場超え!? 中毒性アリな そーすかつ丼

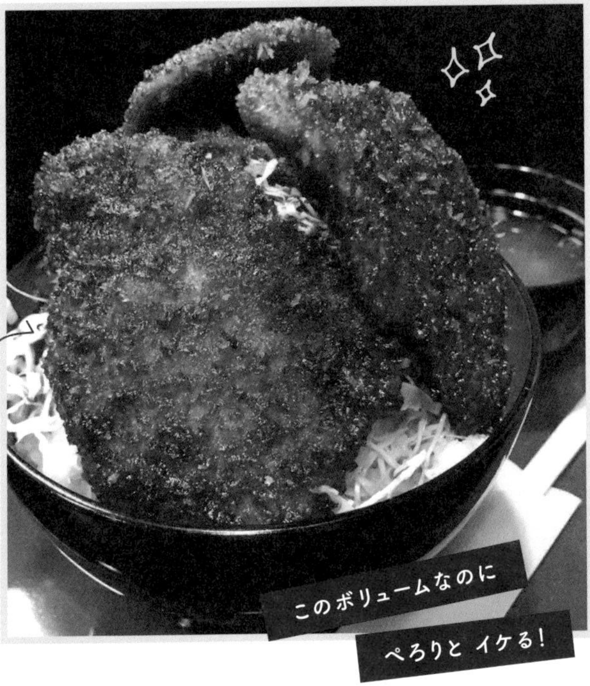

お肉の枚数や種類（ヒレ・ロース・2種）が選べるよ

◎そーすどん

そーすどん の

そーすかつ丼
(ヒレ肉・ロース肉2種盛り)

[Tax 10%] 1200円

小さなお店だけど、岐阜の名店✨
何度も食べたくなるクセになる味🖤

高〜く盛られたカツで
丼の蓋が閉まらない状態で出てくる笑笑

ここのカツは大きめサイズなんだけど
薄くしてあるから食べやすい🍴
カツなのに軽い感じでぺろりと食べられちゃう(o´∀`o)
オリジナルのソースがよく染みてオイシイ✨✨

カツ2枚とエビフライ1尾がのったミックスも好き😍💕

カツサンドや串カツもあってそっちもいいよ✌

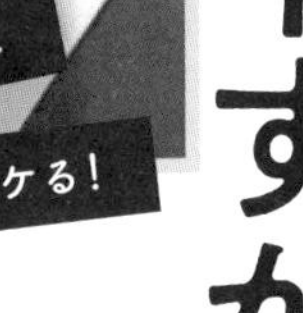

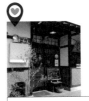

予算
☀ 800円〜
🌙 800円〜

[住]岐阜市柳津町南塚4-250 ☎080-1621-6514
[営]11:30〜14:00(LO)、17:00〜20:00(LO) [休]水曜(祝日の場合は翌日) [席]21席 [予]不可 [P]7台
[交]名鉄竹鼻線柳津駅より徒歩約15分 [C]不可 [E]不可 [Q]Pay Pay

あ と が き

私がインスタを始めたのは5年前
「食べるのが好きなただの人」でした

それがいつの間にか
フォロワー12万8千人を超えるまでになりました😊

フォロワーさんのおかげで
nagoya.mとしての活躍の場が広がり
お店のレセプションに招待されたり
テレビや雑誌に出演したり
そして今回は、こうして本の出版まで！

もともと何かにハマりやすい性格で
一度ハマったらとことんやる🌼

美味しいもののためなら
半日かけてでも遠くまで出かける！
好きになったメニューの味を
自分で再現できないか研究して
何度も実際に作ってみる！！

そんな私をフォロワーのみなさんが
温かく応援してくれたから
今のnagoya.mがあるんだと思います😊

3年前くらいにハマって
作りまくったフルーツ大福🫐
ふり返ってみると、
これが「Mのフルーツ大福」の出発点

活躍の場が広がると同時に
今まで経験したことのない辛い思いもして
インスタを辞めたいと
考えたことが何度もありました

もともと図太い性格なので
2日経ったら忘れてしまう性格なのもありますが
やはり一番はほんっとに
温かいフォロワーさんのおかげで
インスタを続けることができています 😊
大袈裟じゃなくて本当にホント！！

傷ついても、無敵のパワーを
フォロワーのみなさんからもらえるんです！

いつもイベントに来てくれるフォロワーさん
会ったことはないけどずっと応援してくれるフォロワーさん
みなさんがいてくれることが
私を無敵にしてくれてます 💪💪💪

私を
「食べるのが好きなただの人」から
「みんなに応援してもらえる一般人」
にしてくれたのはフォロワーさんです 🙏

いつも応援してくれているみなさんに感謝しながら
ひとまずこれが私の集大成！
この感謝をもっとみなさんに返せるように
まだまだこれからも食べまくりたいと思います！ 😊

nagoya.m

名古屋を代表するグルメ系インスタグラマー。
2016 年にインスタグラムで趣味の食べ歩きの
投稿をスタート。専門的すぎない一般目線の投
稿に親しみと信頼が寄せられ、今やフォロワー
数 12 万 8 千人を抱えるインフルエンサーと言え
る存在に。最近では「M ポテト」「M のフルーツ
大福」など店舗プロデュースも手掛けている。

nagoya.Mの 最強なごやグルメ

2021 年 9 月 21 日　第 1 刷発行

著　　　者	nagoya.m
発 行 人	木本敬巳
編　　集	伊奈　禎
表紙デザイン	宇佐美直樹 (有限会社デルタビジョン)
レイアウト	宇佐美直樹 (有限会社デルタビジョン)、 佐藤真奈美、有限会社 BASARA (浜地あすか)
編 集 協 力	小林誠、森世志美、水野ぴいこ、 有限会社 BASARA (仲田真実、樋栄彩綺、吉田はぐ)
発行・発売	ぴあ株式会社　中部支社 〒 461-0005 名古屋市東区東桜 2-13-32 TEL ／ 052-939-5555 [代表] 　　　　052-939-5511 [編集] ぴあ株式会社　本社 〒 150-0011 東京都渋谷区東 1-2-20 渋谷ファーストタワー TEL ／ 03-5774-5200 [大代表]
印刷・製本	凸版印刷株式会社